A Scots Handsel

Selected by
J K Annand

Oliver & Boyd
in association with
The Burns Federation

Cover

Detail from '*The Penny Wedding*' by David Wilkie.
Reproduced by gracious permission of
Her Majesty the Queen.

Oliver & Boyd
Robert Stevenson House
1–3 Baxter's Place
Leith Walk
Edinburgh EH1 3BB
A Division of Longman Group Ltd

First published 1980

ISBN 0 05 003368 9

Printed in Hong Kong by
Wing Tai Cheung Printing Co Ltd.

Contents

Acknowledgments

The publishers are grateful to the following for permission to reproduce copyright material: Macdonald Publishers for 'Arctic Convoy' from *Two Voices* and 'The Hippopotamus' from *Thrice to Show Ye* by J K Annand and 'Fi'baw in the Street' and 'Owre Weill' by Robert Garioch; Ian Bowman for 'Reply to the Wee Malkies'; Brown, Son & Ferguson Ltd for 'The Deluge' by W D Cocker; James Copeland for 'Black Friday'; Bill Copland for 'The Flood-Bush'; Gordon Wright Publishing for 'Beasties' and 'In Glenskenno Woods' by Helen B Cruickshank; Lavinia Derwent for 'The Kirk Moose'; Miss J Dodds for 'Ring the Bells o' Crichton' by Andrew Dodds; Mr John Gray for 'The Invitation' by Sir Alexander Gray; Mrs Millicent Lovett for 'The Neep-fields by the Sea' by Violet Jacob; William Landles for 'Wet Day'; Martin Brian & O'Keeffe on behalf of Mrs Valda Grieve for 'Hungry Waters' and 'Supper to God' from *Collected Poems of Hugh MacDiarmid*; A D Mackie for 'The Young Man and the Young Nun'; Alastair Mackie for 'Bigamist'; Robert McLellan for 'The Robin'; James S Kerr, Music Publishers, for 'A Pair o' Nicky Tams' by G S Morris; Sonia Mary Rasmussen for 'The Cock'; Paull & Williamson, advocates, on behalf of the representatives of the late Dr David Rorie for 'Tinkler Pate'; The Trustees of the National Library of Scotland for 'Bawsy Broon' and 'Wullie Waggletail' by William Soutar.

Introduction

A growing interest in Lowland Scots in recent years has led to a demand by general readers and by the schools for more readily available examples of writing in Scots. This book is devised as a companion to the popular *A Scots Kist,* though it is hoped it will also serve in its own right as an introduction to literature in Scots. The collection is aimed at a wide range of readers, from the quite young to the mature adult. The prime consideration is to give enjoyment.

There is a wealth of traditional material in Scots suitable for children, much of it collected by Robert Chambers in his *Popular Rhymes of Scotland,* which is unfortunately no longer in print. Some of these rhymes and tales are included here. Very little early poetry is given, as its language is somewhat difficult for the ordinary reader. I make no apology for including so many ballads, as these are an outstanding constituent of our literary heritage, but I believe I have given appropriate space to the poets from the eighteenth century to the present day.

Poetry in Scots has never ceased to be written, but Scots prose was abandoned for English in the seventeenth century. Since then creative writers have used Scots mainly for dialogue, though Scott and Stevenson between them gave us three short stories. So far as I know there has been only one novel written entirely in Scots and only thirty copies of it were printed. J L Waugh's *Robbie Doo* is probably the only modern sustained prose work written almost entirely in Scots, and it has suffered in recent years by being branded 'Kailyaird'. Since 1973, however, the magazine *Lallans,* devoted entirely to Scots, has appeared regularly, and more writers, old and young, are producing creative work in Scots.

Some readers may find the spelling inconsistent in this anthology. No standard Scots spelling has yet been accepted, and district and personal variations will be easily spotted. It should be kept in mind that, especially in the ballads and eighteenth century work, many words (eg night and down) spelled in the English manner should be spoken with a distinctively Scottish pronunciation.

Examples of my own verse are included here on the insistence of the publishers and the Burns Federation. For my part, I have tried to give a fair representation of the best of our literature in Scots, with special emphasis on material that is not currently available in other anthologies.

J K Annand

Aipple Tree

As I gaed up the aipple tree
Aa the aipples fell on me.
Bake a pudden, bake a pie,
Send it to the Lord Mackay.
The Lord Mackay's no in
Send it to the Man in the Mune.
The Man in the Mune's mendin shune,
Tippence a pair and they're aa dune.

Traditional

Poussie-cat

Poussie-cat, poussie-cat
Whar hae ye been?
I've been up at the Castle
Seein the Queen.
What did ye get?
A piece and jam.
What did ye say?
Thenk ye, Ma'am.

Traditional

The Gundy Man

Tam, Tam, the Gundy Man
Washed his face in the frying-pan
Kaimed his hair
Wi the leg o the chair
Tam, Tam, the Gundy Man.

Traditional

gundy *candy*

The Wee Wifie

There was a wee wifie row't up in a blanket,
  Nineteen times as hie as the moon;
And what did she there I canna declare,
  For in her oxter she bure the sun.

"Wee wifie, wee wifie, wee wifie," quo' I.
  "O what are ye doin' up there sae hie?"
"I'm blawin' the cauld cluds out o' the sky."
  "Weel dune, weel dune, wee wifie!" quo' I.

Traditional

Rivers

Tweed said to Till:
"What gars ye rin sae still?"
Till said to Tweed:
"Though ye rin wi speed,
And I rin slaw,
Yet whar ye droun ae man
I droun twa!"

Annan, Tweed, and Clyde,
Rise aa out o ae hill-side;
Tweed ran, Annan wan,
Clyde fell, and brak its neck owre Corra Linn.

Traditional

Places

On Tintock-tap there is a mist,
And in that mist there is a kist,
And in the kist there is a caup,
And in the caup there is a drap;
Tak up the caup, drink aff the drap,
And set the caup on Tintock-tap.

row't *wrapped*
in her oxter *under her arm*
kist *chest*
caup *cup*

Musselburgh was a burgh
Whan Edinburgh was nane,
And Musselburgh will be a burgh
Whan Edinburgh's gane.

Traditional

Beasties

Clok-leddy, clok-leddy
Flee awa' hame,
Your lum's in a lowe,
Your bairns in a flame;
Reid-spottit jeckit,
An' polished black e'e,
Land on my luif, an' bring
Siller tae me!

Ettercap, ettercap,
Spinnin' your threid,
Midges for denner, an'
Flees for your breid;
Sic a mischanter
Befell a bluebottle,
Silk roond his feet—
Your hand at his throttle!

Moudiewarp, moudiewarp,
Howkin' an' scartin',
Tweed winna plaise ye,
Nor yet the braw tartan,
Silk winna suit ye,
Naither will cotton,
Naething, my lord, but the
Velvet ye've gotten.

Helen B Cruickshank

clok-leddy *ladybird*
lum *chimney*
lowe *blaze*
luif *palm*

ettercap *spider*
mischanter *misfortune*
throttle *throat*

moudiewarp *mole*
howkin' *digging*
scartin' *scraping*

Ring the Bells o' Crichton

Ring the bells o' Crichton,
  Ken ye whae's deid?
An auld man at Dreepie,
  A wife at Pethheid.

Noo they're yont in Crichton,
  Ken ye whae grat?
The auld man's collie dowg,
  And the auld wife's cat.

Andrew Dodds

Bawsy Broon

Dinna gang oot the nicht:
Dinna gang oot the nicht:
Laich was the müne as I cam owre the muir;
Laich was the lauchin though nane was there:
Somebodie nippit me,
Somebodie trippit me;
Somebodie grippit me roun' an' aroun':
I ken it was Bawsy Broon:
I'm shair it was Bawsy Broon.

Dinna win oot the nicht:
Dinna win oot the nicht:
A rottan reeshl'd as I ran be the sike,
An' the deid-bell dunnl'd owre the auld kirk-dyke:
Somebodie nippit me,
Somebodie trippit me;
Somebodie grippit me roun' an' aroun':
I ken it was Bawsy Broon:
I'm shair it was Bawsy Broon.

William Soutar

yont *yonder*
laich *low*
rottan *rat*
reeshl'd *rustled*
sike *little burn*
dunnl'd *clanged*

Wullie Waggletail

Wee Wullie Waggletail, what is a' your stishie?
Tak a soup o' water an' coorie on a stane:
Ilka tree stans dozent, an' the wind withoot a hishie
Fitters in atween the fleurs an' shogs them, ane be ane.

What whigmaleerie gars ye jowp an' jink amang the
duckies,
Wi' a rowsan simmer sin beekin on your croun;
Wheeple, wheeple, wheeplin' like a wee burn owre the
chuckies,
An' wagglin' here, an' wagglin' there, an' wagglin' up and'
doun?

William Soutar

Rashie-coat

Rashie-coat was a king's daughter, and her father wanted her to be married; but she didna like the man. Her father said she bud tak him; and she didna ken what to do. Sae she gaed awa' to the hen-wife, to speer what she should do. And the hen-wife said: "Say ye winna tak him unless they gie ye a coat o' the beaten gowd." Weel, they ga'e her a coat o' the beaten gowd; but she didna want to tak him for a' that. Sae she gaed to the hen-wife again, and the hen-wife said: "Say ye winna tak him unless they gie ye a coat made o' the feathers o' a' the birds o' the air." Sae the king sent a man wi' a great heap o' corn; and the man cried to a' the birds o' the air: "Ilka bird tak up a pea and put down a feather; ilka bird tak up a pea and put down a feather." Sae ilka bird took up a pea and put down a feather; and they took a' the feathers and made a coat o' them, and ga'e it to Rashie-coat; but she didna want to tak him for a' that.

stishie *bustle*
hishie *whisper*
fitters *potters about*
shogs *shakes*

whigmaleerie *whim*
jowp and jink *splash and dodge*
chuckies *pebbles*

bud *must*
speer *ask*
gowd *gold*

Weel, she gaed to the hen-wife again, and speered what she should do; and the hen-wife said: "Say ye winna tak him unless they gie ye a coat o' rashes and a pair o' slippers." Weel, they ga'e her a coat o' rashes and a pair o' slippers; but she didna want to tak him for a' that. Sae she gaed to the hen-wife again, and the hen-wife said she couldna help her ony mair.

Weel, she left her father's hoose, and gaed far, and far, and farer nor I can tell; and she cam to a king's hoose, and she gaed in till 't. And they speered at her what she was seeking, and she said she was seeking service; and they ga'e her service, and set her into the kitchen to wash the dishes, and tak oot the ase, and a' that. And whan the Sabbath-day cam, they a' gaed to the kirk, and left her at hame to cook the dinner. And there was a fairy cam to her, and telt her to put on her coat o' the beaten gowd, and gang to the kirk. And she said she couldna gang, for she had to cook the dinner; and the fairy telt her to gang, and she would cook the dinner for her. And she said:

> "Ae peat gar anither peat burn,
> Ae spit gar anither spit turn,
> Ae pat gar anither pat play,
> Let Rashie-coat gang to the kirk the day."

Sae Rashie-coat put on her coat o' the beaten gowd, and gaed awa' to the kirk. And the king's son fell in love wi' her; but she cam hame afore the kirk scaled, and he couldna find oot wha she was. And whan she cam hame she faund the dinner cookit, and naebody kent she had been oot.

Weel, the next Sabbath-day, the fairy cam again, and telt her to put on the coat o' feathers o' a' the birds o' the air, an' gang to the kirk, and she would cook the dinner for her. Weel, she put on the coat o' feathers, and gaed to the kirk. And she cam oot afore it scaled; and when the king's son saw her gaun oot, he gaed oot too; but he couldna find oot wha she was. And she got hame, and took aff the coat o'

rashes *rushes*
till't *to it*
ase *ashes*
gar *make*
pat *pot*
scaled *came out*

feathers, and faund the dinner cookit, and naebody kent she had been oot.

An' the niest Sabbath-day, the fairy cam till her again, and telt her to put on the coat o' rashes and the pair o' slippers, and gang to the kirk again. Aweel, she did it a'; and this time the king's son sat near the door, and when he saw Rashie-coat slippin' oot afore the kirk scaled, he slippit oot too, and grippit her. And she got awa' frae him, and ran hame; but she lost ane o' her slippers, and he took it up. And he gared cry through a' the country, that onybody that could get the slipper on, he would marry them. Sae a' the leddies o' the coort tried to get the slipper on, and it wadna fit nane o' them. And the auld hen-wife cam and fush her dochter to try and get it on, and she nippit her fit, and clippit her fit, and got it on that way. Sae the king's son was gaun to marry her. And he was takin' her awa' to marry her, ridin' on a horse, an' her ahint him; and they cam to a wood, and there was a bird sittin' on a tree, and as they gaed by, the bird said:

"Nippit fit and clippit fit
Ahint the king's son rides;
But bonny fit and pretty fit
Ahint the caudron hides."

And whan the king's son heard this, he flang aff the hen-wife's dochter, and cam hame again, and lookit ahint the caudron, and there he faund Rashie-coat greetin' for her slipper. And he tried her fit wi' the slipper, and it gaed on fine. Sae he married her.

And they lived happy and happy,
And never drank oot o' a dry cappy.

Traditional

niest	*next*
gared cry	*made it known*
fush	*fetched*
ahint	*behind*
cappy	*cup*

Tammie Doodle

Tammie Doodle was a cantie chiel,
Fou cantie and fou crouse;
The fairies liked him unco weel
And built him a wee hous.

And whan the hous was aa built up,
And finished but the door,
A fairy it cam skippin in
And danced upon the floor.

The fairy it birled up and doun,
It lowpit and it flang;
It friskit and it whiskit roun
And crooned a fairy sang.

At length it whistled loud and shrill,
And in cam aa the gang
Till puir wee Tammie Doodle was
Maist smothered in the thrang.

Traditional

Robin Redbreast's Testament

"Gude day, now, bonnie Robin,
How lang hae ye been here?"
"Oh I have been bird about this bush
This mair than twenty year.
But now I am the sickest bird
That ever sat on brier;
And I wad mak' my testament,
Gudeman, if ye wad hear.

cantie chiel *pleasant fellow*
crouse *cheerful*
unco *very*
birled *whirled*
lowpit *leaped*
thrang *crowd*

"Gar tak' this bonnie neb o' mine,
That picks upon the corn;
And gie't to the Duke o' Hamilton,
To be a hunting horn,
Gae tak' thae bonnie feathers o' mine,
The feathers o' my neb,
And gie to the Lady o' Hamilton
To fill a feather bed.

"Gar tak' this gude richt leg o' mine,
And mend the brig o' Tay;
It will be a post and pillar gude,
It will neither bow nor sway.
And tak' this other leg o' mine,
And mend the brig o' Weir;
It will be a post and pillar gude,
It will neither bow nor steer.

"Gar tak' thae bonnie feathers o' mine,
The feathers o' my tail;
And gie to the lads o' Hamilton
To be a barn-flail.
And tak' thae bonnie feathers o' mine,
The feathers o' my breast;
And gie to ony bonnie lad
That'll bring me to a priest."

Now in there cam' my Lady Wren,
Wi' mony a sigh and groan:
"O what care I for a' the lads,
If my wee lad be gone?"
Then Robin turn'd him round about,
E'en like a little king;
"Gae pack ye out at my chamber-door,
Ye little cutty-quean."

Traditional

neb *beak*
steer *stir*
cutty-quean *tiny girl*

Whuppity Stoorie

I ken ye're fond o' clashes aboot fairies, bairns; and a story anent a fairy and the guidwife o' Kittlerumpit has joost come into my mind; but I canna very weel tell ye noo whereabouts Kittlerumpit lies. I think it's somewhere in amang the Debateable Grund; onygate I'se no pretend to mair than I ken, like a'body noo-a-days. I wuss they wad mind the ballant we used to lilt langsyne:

> "Mony ane sings the gerse, the gerse,
> And mony ane sings the corn;
> And mony ane clatters o' bold Robin Hood,
> Ne'er kent where he was born."

But hoosoever, about Kittlerumpit: the goodman was a vaguing sort o' a body; and he gaed to a fair ae day, and not only never came hame again, but never mair was heard o'. Some said he listed, and ither some that the wearifu' pressgang cleekit him up, though he was clothed wi' a wife and a wean forbye. Hech-how! that dulefu' pressgang! they gaed aboot the kintra like roaring lions, seeking whom they micht devoor. I mind weel, my auldest brither Sandy was a' but smoored in the meal ark hiding frae thae limmers. After they war gane, we pu'd him oot frae amang the meal, pechin' and greetin', and as white as ony corp. My mither had to pike the meal oot o' his mooth wi' the shank o' a horn spoon.

Aweel, when the goodman o' Kittlerumpit was gane, the goodwife was left wi' a sma' fendin. Little gear had she, and a sookin' lad bairn. A'body said they war sorry for her; but naebody helpit her, whilk's a common case, sirs. Howsomever, the goodwife had a soo, and that was her

clashes	*stories*				
onygate	*anyway*	vaguing	*wandering*	limmers	*fellows*
wuss	*wish*	listed	*enlisted*	corp	*corpse*
ballant	*rhyme*	cleekit	*caught*	pike	*pick*
langsyne	*long ago*	dulefu'	*dismal*	sma' fendin	*little money*
gerse	*grass*	smoored	*smothered*	sookin' lad bairn	*little baby boy*
clatters	*chatters*	ark	*chest*	soo	*sow*

only consolation; for the soo was soon to farra, and she hopit for a good bairn-time.

But we a' weel ken hope's fallacious. Ae day the wife gaes to the sty to fill the soo's trough; and what does she find but the soo lying on her back, grunting and graning, and ready to gie up the ghost.

I trow this was a new stoond to the goodwife's heart; sae she sat doon on the knockin'-stane, wi' her bairn on her knee, and grat sairer than ever she did for the loss o' her ain goodman.

Noo, I premeese that the cot-hoose o' Kittlerumpit was biggit on a brae, wi' a muckle fir-wood behint it, o' whilk ye may hear mair or lang gae. So the goodwife, when she was dichtin' her een, chances to look down the brae, and what does she see but an auld woman, amaist like a leddy, coming slowly up the gaet. She was buskit in green, a' but a white short apron, and a black velvet hood, and a steeple-crowned beaver hat on her head. She had a lang walking-staff, as lang as hersel', in her hand—the sort of staff that auld men and auld women helpit themselves wi' lang syne; I see nae sic staffs noo, sirs.

Aweel, when the goodwife saw the green gentlewoman near her, she rase and made a curchie; and "Madam," quo' she, greetin', "I'm ane of the maist misfortunate women alive."

"I dinna wish to hear pipers' news and fiddlers' tales, good-wife," quo' the green woman. "I ken ye've tint your goodman—we had waur losses at the Shirra Muir; and I ken that your soo's unco sick. Noo, what will ye gie me gin I cure her?"

"Onything your leddyship's madam likes," quo' the witless goodwife, never guessin' wha she had to deal wi'.

farra	*farrow (have piglets)*
graning	*groaning*
trow	*believe*
stoond	*blow*
knockin'-stane	*stone on which corn was threshed*
grat	*cried*
premeese	*tell you*
dichtin'	*wiping*
gaet	*path*
buskit	*dressed*
curchie	*curtsey*
tint	*lost*
unco	*very*
gin	*if*

"Let's wat thooms on that bargain," quo' the green woman: sae thooms war wat, I'se warrant ye; and into the sty madam marches.

She looks at the soo wi' a lang glowr, and syne began to mutter to hersel' what the goodwife couldna weel understand; but she said it soundit like;

"Pitter patter,
Haly water."

Syne she took oot o' her pouch a wee bottle, wi' something like oil in 't, and rubs the soo wi't abune the snoot, ahint the lugs, and on the tip o' the tail. "Get up, beast," quo' the green woman. Nae sooner said nor done—up bangs the soo wi' a grunt, and awa' to her trough for her breakfast.

The goodwife o' Kittlerumpit was a joyfu' goodwife noo, and wád hae kissed the very hem o' the green madam's gown-tail, but she wadna let her. "I'm no sae fond o' fashions," quo' she; "but noo that I hae richtit your sick beast, let us end our sicker bargain. Ye'll no find me an unreasonable greedy body—I like aye to do a good turn for a sma' reward—a' I ask, and *wull* hae, is that lad bairn in your bosom."

The goodwife o' Kittlerumpit, wha noo kent her customer, ga'e a skirl like a stickit gryse. The green woman was a fairy, nae doubt; sae she prays, and greets, and begs, and flytes; but a' wadna do. "Ye may spare your din," quo' the fairy, "skirling as if I was as deaf as a door nail; but this I'll let ye to wut—I canna, by *the law we leeve on*, táke your bairn till the third day after this day; and no then, if ye can tell me my right name." Sae madam gaes awa' round the swine's-sty end, and the goodwife fa's doon in a swerf behint the knockin'-stane.

Aweel, the goodwife o' Kittlerumpit could sleep nane

wat thooms *wet thumbs*
glowr *stare*
abune *above*
ahint *behind*
lugs *ears*
richtit *cured*
sicker *firm*
stickit gryse *stuck pig*
flytes *scolds*
skirling *screaming*
wut *know*
leeve on *live by*
swerf *faint*

that nicht for greetin', and a' the next day the same, cuddlin' her bairn till she near squeezed its breath out; but the second day she thinks o' taking a walk in the wood I tell't ye o'; and sae, wi' the bairn in her arms, she sets out, and gaes far in amang the trees, where was an old quarry-hole, grown owre wi' gerse, and a bonny spring well in the middle o't. Before she came very nigh, she hears the birring o' a lint-wheel, and a voice lilting a sang; sae the wife creeps quietly amang the bushes, and keeks owre the broo o' the quarry, and what does she see but the green fairy kemping at her wheel, and singing like ony precentor:

"Little kens our guid dame at hame
That Whuppity Stoorie is my name!"

"Ah, ha!" thinks the wife, "I've gotten the mason's word at last; the deil gie them joy that tell't it!" Sae she gaed hame far lichter than she came out, as ye may weel guess, lauchin' like a madcap wi' the thought o' begunkin' the auld green fairy.

Aweel, ye maun ken that this goodwife was a jokus woman, and aye merry when her heart wasna unco sair owreladen. Sae she thinks to hae some sport wi' the fairy; and at the appointit time she puts the bairn behint the knockin'-stane, and sits down on 't hersel'. Syne she pu's her mutch ajee owre her left lug, crooks her mou on the tither side, as gin she war greetin', and a filthy face she made, ye may be sure. She hadna lang to wait, for up the brae mounts the green fairy, nowther lame nor lazy; and lang or she gat near the knockin'-stane, she skirls out: "Goodwife o' Kittlerumpit, ye weel ken what I come for—stand and deliver!" The wife pretends to greet sairer than before, and wrings her nieves, and fa's on her knees, wi': "Och, sweet madam mistress, spare my only bairn, and take the weary soo!"

birring	*whirring*
lint-wheel	*spinning wheel*
keeks	*peeps*
broo	*rim*
kemping	*working*
precentor	*leader of singing in church*
mason's word	*password*
begunkin'	*getting the better of*
jokus	*fun-loving*
syne	*next*
mutch	*bonnet*
ajee	*squint*
gin	*if*
nieves	*hands*

"The deil take the soo for my share," quo' the fairy; "I come na here for swine's flesh. Dinna be contramawcious, hizzie, but gie me the gett instantly!"

"Ochon, dear leddy mine," quo' the greetin' goodwife; "forbear my poor bairn, and take mysel'!"

"The deil's in the daft jad," quo' the fairy, looking like the far-end o' a fiddle; "I'll wad she's clean dementit. Wha in a' the earthly warld, wi' half an ee in their head, wad ever meddle wi' the likes o' thee?"

I trow this set up the wife o' Kittlerumpit's birse; for though she had twa bleert een, and a lang red neb forbye, she thought hersel' as bonny as the best o' them. Sae she bangs aff her knees, sets up her mutch-croon, and wi' her twa hands faulded afore her, she maks a curchie down to the grund, and, "In troth, fair madam," quo' she "I might hae had the wit to ken that the likes o' me is na fit to tie the warst shoe-strings o' the heich and mighty princess, *Whuppity Stoorie!*" Gin a fluff o' gunpowder had come out o' the grund, it couldna hae gart the fairy loup heicher nor she did; syne down she came again, dump on her shoe-heels, and whurlin' round, she ran down the brae, scraichin' for rage, like a houlet chased wi' the witches.

The goodwife o' Kittlerumpit leugh till she was like to ryve; syne she taks up her bairn, and gaes into her hoose, singin' till 't a' the gaet:

"A goo and a gitty, my bonny wee tyke,
Ye'se noo hae your four-oories;
Sin' we've gien Nick a bane to pyke,
Wi' his wheels and his Whuppity Stoories."

Traditional

contramawcious *obstinate*
hizzie *hussy*
gett *child*
birse *temper*
bleert *blearie*
forbye *as well*
heich *high*
gart *made*

loup *leap*
scraichin' *screeching*
houlet *owl*
ryve *burst*
a' the gaet *all the time*
tyke *lad*
four-oories *feed*
pyke *pick*

Hungry Waters

(*For a little Boy at Linlithgow*)

The auld men o' the sea
Wi' their daberlack hair
Ha'e dackered the coasts
O' the country fell sair.

They gobble owre cas'les,
Chow mountains to san';
Or lang they'll eat up
The haill o' the lan'.

Lickin' their white lips
An' yowlin' for mair,
The auld men o' the sea
Wi' their daberlack hair.

Hugh MacDiarmid

Auld Wife

Auld wife, auld wife,
Will ye gang a-shearin?

"Speak a little louder, sir,
I'm unco dull o hearin."

Auld wife, auld wife,
Wad ye tak a kiss?

"Yes indeed, I will, sir,
It wadna be amiss."

Traditional

daberlack *seaweed*
dackered *searched*

The Kirk Moose

I'm a wee kirk moose an' I haven't got a name,
But thon muckle kirk at the corner is ma hame,
Wi' the cock on the steeple an' the bell that gangs
"D-I-N-G!"
An' I wish that I was big enough to gaur it gie a ring.

I can sing a' the psalms, I can say a' the prayers,
An' I whiles do a dance up an' doon the pulpit stairs.
I ken a' the texts, I can find them in the Book,
An' there's mony a human-bein' wi' nae notion where to
look.

When the meenister says "Firstly" an' the folk a' settle
doon,
I gang creepin'-creepin'-creepin' in amang their Sunday
shoon;
An' I'm wishin', as I'm jinkin' frae the passage to the pew,
That they'll mebbe drop a pandrop or a peppermint to
chew.

For I'm sometimes awfu' hungry, an' there's naethin'
much to eat
Except the paraphrases or a hymn-book for a treat.
I've eaten the Auld Hunner, I've chowed Beatitudes,
But I canna say I've found them just the tastiest o' foods.

I'm a wee kirk moose an' I haven't got a name,
But I'm really quite contented, it's just ma empty waim;
So I'm hopin' that some Sunday, wad ye mind aboot me,
please?
An' bring me in your bible just a wee bit taste o' cheese?

Lavinia Derwent

jinkin' *dodging*
waim *stomach*

The Cock

There was aince a wee cock that was affa prood o his craw. Ilka mornin he stuid on tap o the hen-hous and crawed sae lood that ye heard him for miles aroon. Ae mornin the fairmer cam oot o the fairmhous and walkit owre tae the hen-hous. He was dressed in his nickytams wi his sark tail hingin ootowre. His face was reid, and he didna leuk happy.

"Ye crawin brute," he shouted, shakkin his neive at the cock, "ye've waukened me up and it's still the middle o the nicht, ye're aye wauknin me owre early, fit dae ye think ye're daein? That craw's eneuch tae wauken the deid. Nou dinna ye craw sae lood the morn or I'll mak a fine pot o broth oot o ye." Wi that he stampit back tae the fairmhous, leavin the puir cock wonderin fit tae dae.

Nou that cock was affa prood o his craw and fair thocht he was the king amang aa the ither craiturs o the fairmyaird. He caa'd a meetin that eftirneen in the muckle barnie at hauf-past ane. Aa the beasts and the birds frae the fairmyaird cam. Some sat on the raifters and some on the flair tae speir fit was wrang wi the cock and fit he was needin them for. They were aa bletherin amang themsels whan the cock cam in, and he had tae craw loodly tae mak himsel heard.

"Ah, wae's me, fit'll I dae, I craw sae loodly and I'll hae tae dee."

"Aye," said the coo, "ye div craw sae loodly."

"Aye," said the pig, "ye wauken us owre earily."

"I ken fit tae dae," squeakit a wee mousie, "I'll chaw the pynts oot o the maister's sheen and we'll tie up yer mou sae as the soond's nae sae lood."

Aabody thocht that was a bricht idea of the wee

ilka *every*
nickytams *leg-bands*
sark *shirt*
ootowre *out*

neive *fist*
fit *what*
speir *ask*

div *do*
pynts *laces*
sheen *shoes*

mousie's. Nou the neist mornin ye wadna hae heard the cock's craw gin ye'd been stannin neist til him! The sun cam up owre the hill and the birdies cam oot tae sing but there was nae sign o the fairmer.

The coo mooed sadly. "I'm needin milkit," she said.

The pig grunted; "Far's that fairmer chiel, I'm affa hungert."

"I'm nae worriet," says the mousie, "whan the fairmer sleeps the mousie eats!" And he scampered back intil the hous.

A whilie later a great muckle roar cam frae the hous, an upstairs windae was flung open and oot cam the fairmer's heid. "Far's that cock?" he bawled.

He ran doon the stairs and oot at the door, and there in the fairmyaird he saw the cock wi his moo aa tied up.

"Ah, ye puir beastie," he said, "fa did that tae ye, my bonnie loon? Come til I lowse ye, I'm nae eese withoot yer bonny sang in the mornin."

Sae whan ye're in the country and the cock's craw gars ye rise early, jist mind that country fowk are richt gled o his sang, for they maun stairt their wark in guid time!

Sonja Mary Rasmussen

Hippopotamus

The Hippo–pippo–potamus
Likes sprauchlin in the glaur,
Maks sic a soss and slaister
As I wad never daur.

The Hippo–pippo–potamus
Wad drive my mither gyte
But Missus Hippopotamus
Wad never think to flyte.

far's	*where is*	eese	*use*	soss and slaister	*dirty mess*
loon	*lad*	sprauchlin	*splashing*	gyte	*mad*
lowse	*free*	glaur	*mud*	flyte	*scold*

But if I plowtered in the glaur
And cam hame black's the lum
I'd get an awfu tellin-aff
As weel's a skelpit bum.

J K Annand

Burke and Hare

Burke and Hare
They were a pair,
Killed a wife
And didna care.

Then they pit her
In a box
And sent her aff
To Doctor Knox.

Burke's the butcher,
Hare's the thief,
Knox is the yin
That buys the beef.

Traditional

*Reply to the Wee Malkies**

"Haw, Missis, whit'll ye dae?"
they say.

Here's whit I'll dae when the Wee Malkies come:
I'll wallop their lugs an' skelp their bum.
I'll blouter their nebs on the clean close wa'
an' gie them a taste o' heid the ba'.

plowtered *messed about*
lum *chimney*
skelpit *smacked*
skelp *smack*
blouter *bash*
nebs *noses*

*Stephen Mulrine's "The Coming of the Wee Malkies" (*A Scots Kist*, page 126, Oliver & Boyd, 1979)

I'll gar them swidder tae chap ma door
when ma bristly besom dings their splore.
I'll gar their wulkies gang tapsalteerie
an' birl them roun' an' roun' like a peerie.
If they stick the heid on the san'try man,
aiblins they'll fin' he's a Judo Dan;
an' when they come shaughlin' doon ma lobby
they'll get a shog frae ma frien', the bobby.
The game's a bogey—but no their game:
I'll gar them wish that they hadnae came.

Ian Bowman

Fi'baw in the Street

Shote! here's the poliss,
the Gayfield poliss,
  an thull pi'iz in the nick fir
  pleyan fi'baw in the street!
Yin o thum's a faw'y
like a muckle foazie taw'y,
  bi' the ither's lang an skinnylike,
  wi umburrelly feet.
Ach, awaw, says Tammy Curtis,
fir thir baith owre blate ti hurt iz,
  thir a glaikit pair o Teuchters
  an as Hielant as a peat.
Shote! thayr thir comin
wi the hurdygurdy wummin
  tha' we coupit wi her puggy
  pleyan fi'baw in the street.

gar *make*
swidder *hestitate*
besom *brush*
dings *defeats*
splore *ploy*
I'll gar their wulkies gang tapsalteerie *I'll turn them upside down*
birl *spin*
stick the heid on *butt with the head*
aiblins *perhaps*
shaughlin' *shuffling*
shog shake
faw'y *fatty*
foazie taw'y *soft potato*
blate *timid*
glaikit *foolish*
Teuchters *Highlanders*
coupit *tripped up*
puggy *monkey*

Sae wir aff by Cockie-Dudgeons an
the Sandies and the Coup,
and wir owre a dizzen fences tha'
the coppers canny loup,
and wir in an ou' o backgreens an
wir dreepan muckle dikes,
an we tear ir claes on railins
full o nesty irin spikes.
An aw the time the skinnylinky
copper's a' ir heels,
though the faw'y's deid ir deean,
this yin seems ti rin on wheels:
noo he's stickit on a railin wi
his helmet on a spike,
noon he's up an owre an rinnan, did
ye iver see the like?
Bi' we stour awa ti Puddocky
(tha's doon by Logie Green)
and wir roon by Beaverhaw whayr
deil a beaver's iver seen;
noo wir aff wi buitts an stockins
and wir wadin roon a fence
(i' sticks oot inty the wa'er, bi'
tha's nithin if ye've sense)
syne we cooshy doon thegither
jist like choockies wi a hen
in a bonny wee-bit bunky-hole
tha' bobbies dinny ken.
Bi' ma knees is skint an bluddan,
an ma breeks they want the seat,
jings! ye git mair nir ye're eftir,
pleyan fi'baw in the street.

Robert Garioch

loup	*jump*
dreepan	*dropping from*
stickit	*stuck*
stour	*rush*
cooshy	*cram ourselves*
choockies	*chicks*
skint	*skinned*
bluddan	*bleeding*

Black Friday

Oot behind a lorry,
Peyin nae heed,
Ablow a doubledecker,
A poor wean deid.

Perra worn sannies,
Wee durrty knees,
Heh, erra polis,
Stand back please!

Lookit the conductriss,
Face as white as chalk,
Heh, see the driver but
Cannae even talk.

Anyone a witness?
Na, we niver saw,
Glad ah'm no the polis
Goin tae tell its maw.

Weemen windae-hingin
Herts in their mooth,
It's no oor close, Lizzie
Oh Gawdstrewth!

Screams on the landin,
Twa closes doon,
It's no wee Hughie!
Poor Nellie Broon.

Phone up the shipyard,
Oh, what a shame!
Yes, we'll inform him,
Please repeat the name.

ablow *below*
wean *child*

perra sannies *pair of sandshoes*

erra polis *here's the police*
windae-hingin *leaning from windows*

See Big Hughie,
Jokin wi the squad,
Better knock off, Heug,
Oh dear God.

Whit—no his laddie?
Aw, bloody hell!
D'ye see Hughie's face but,
He's just a boy himself.

James Copeland

Robbie Doo at School

I think I wad be aboot six years auld when first I gaed to the schule. I mind fine o' my faither takin' me up the street by the haun', and into a wee bare room, where a genty bit body, caa'd Miss Macdonald, sat on a chair, in the middle o' the flaer, wi' mebbe three-and-twenty bairns aroon' her.

My faither, as I've said, was a very tall man. He had to coorie doon gaun through the lobby, and when he was in the schuleroom, staunin' afore Miss Macdonald, the croon o' his heid, I noticed, was amaist scrievin' the ceilin'. "Miss Macdonald," said he, "here's a wee callant for you. There's no' much o' him, but he's quick in the uptak, and I leave him wi' confidence in your keepin'. I want him to wag his pow in a pulpit, but dinna start him wi' Horace straight away," and he lauched ower his shooder and left me staunin' in the middle o' the flaer.

I began to greet when I saw he had gane away, but Miss Macdonald took me up on her knee and asked me to be a wee man and no' to greet afore a' the lassies. She wipet my face and set me doon on a wee stule by the fire, and tell't ain o' the bigger yins to see that I didna tummle against the ribs.

genty *genteel*
coorie *stoop*
screivin' *scraping*
callant *lad*
pow *head*
ribs *fire bars*

Man, I think I see that wee room yet. It was low o' the ceilin', had a stane flaer, and fower waa's coloured a licht green, and as bare as birkie, except for a map o' Scotland and a picter o' an elephant wi' a wee hoose on its back, oot o' which a black man was lookin'. A single desk ran alang ae side o' the waa', and this was used by the biggest o' the scholars, and three binks withoot backs held the lave.

It was lit by twae windas—a wee yin at the back and a bigger yin at the front. There were juist fower peens o' gless in the wee back yin, and, through them, I could see into a gairden where there was an aipple tree juist hingin' wi' wee red-cheeket aipples. There were floo'ers in plenty—Nancy Pretty, Sweet-William, Bachelor's Buttons, and Sidderwood, a' mixed up in a raw, borderin' a walk. Mony a lang weary look I had through that wee winda, and often, when I was sair at hert and trauchled wi' spellin's and questions, I used to watch the sparras and blackies fleein' aboot the aipple tree, and wish to guidness I had been born a bird instead o' a boy.

At first I made little progress; in fact, I micht as weel hae been at hame; but by and by I took an interest in my lessons, and wi' the help o' my faither o' a forenicht I was sune through the ABC's and into a penny book wi' great big letters and wee tottie picters.

I wad be the feck o' three years wi' Miss Macdonald, and d'ye ken this, the langer I kenned her the better I liked her. Everything aboot her was genty and denty, frae the sole o' her wee shae to the croon o' her grey heid, and a' the things she did and every word she said had a touch o' kindness and sweetness that was by-ordinar.

She had a sweet, pensive face, pale raither than coloured, and lit up by twae grey-blue een, which by ae look could either cowe the biggest and maist unruly scholar in the schule, or mak' the wee-est hame-seik bairn feel in a meenit it was juist as safe wi' her as at its mither's knee. Altho' her

binks	*benches*	forenicht	*evening*		
lave	*rest*	tottie	*tiny*	denty	*dainty*
trauchled	*overburdened*	feck o'	*most of*	by-ordinar	*extraordinary*

hair was streaked wi' grey, she wasna auld-like in the least. Her face was fresh and withoot a line, and her actions and mainners were those o' a young body; but there were times when, lost in thocht, she seemed to be leevin' some experience ower again, and then her face was a fittin' match to her streaked grey hair.

My faither had a high opinion o' her capabilities as a teacher, and a great regard for her as a woman. I mind ae nicht I was tellin' him hoo kind she had been to me, and hoo much I liket her, and he put his haun' on my heid, and says he, "Ay, Robert, my wee man, your teacher's a kind bit lassie, and she's as guid as she's bonnie; but her face tells me she's got a leevin' sorrow which maun ever be her ain."

You'll wonder why I am tellin' you a' this, but it is, what yin micht caa', leadin' up to an incident which happened at this time, and which even yet staun's oot in bold relief against the backgrun' o' thae early schulein' days.

I canna mind what faut I had been in, but at onyrate I was a "keepie in," and, efter a' the ither weans had gaen hame, I was set on a high stule in a corner wi' my face to the wa', and tell't to get off Effectual Calling without a mistake. Oh, hoo I hated thae "Quastins." The simple yins were hard enough to get off by hert and unnerstaun'; but when it cam' to "the reasons annexed"—weel, d'ye ken this, I got a scunner then at some o' the sacred words, which even to this day I have never got ower.

Weel, as I was sayin', I was sittin' there in the corner wi' my face to the wa', and the mistress was sittin' afore the fire lookin' ower some papers. She was gey intent on what she was doin', for she had forgotten a' aboot me, nor did she hear the door being softly opened and a step come quately to her side. I keekit roon', and I saw a big ill-faured lookin' man juist pittin' his haun' on her shooder.

"Weel, Mary," he said, "busy as usual?"

scunner *loathing*
quately *quietly* keekit *peeped* ill-faured *ugly*

Man, she sprang to her feet, and wi' terror in her een she backit away frae him. She clutched at the neckband o' her frock, and when she spoke the words juist cam' in spurts. "My God!" she said very piteously, I thocht. "You—what brings *you* here?"

The man lauched, and, drawin' the chair near the fire, sat doon and spread his haun's to the warmth. "Your welcome's not very hearty, Mary. Has absence not made the heart grow fonder?" And he looked roon' at her, noddin' his heid and wi' a deevelish leer in his een. It was juist as if he wanted her to ken and unnerstaun' that he was confident she was in his power, and, if that was his idea he was richt, for even to me, my puir wee teacher was juist like a moose shut up in a bandbox wi' a big tam cat.

There was nocht said for a wee, then he looket roon' again, and says he, "You want to know what brings me here. Well, Mary, it's the old, old story—stoney broke, appetite good, thirst abnormal, and the wherewithal lacking. Since last we parted I've played the dominie for a month, canvassed for a week a new edition of an illustrated Bible, helped to store the golden grain for a day and a half in a stoney rig in Ayrshire, for a period of sixty days a reluctant inmate of a Government institution in Ayr where one is expected to work in return for board and lodgings; in fact, Mary, in vulgar parlance, I've been all over the shop. Hearing that you were somewhere in Dumfriesshire, I made it my agreeable business to locate you, and, as Punch says to Judy, 'here we are.'"

"And what d'you want?" Miss Macdonald asked.

"Give me credit for wanting to see your bonnie face, my dear, and listening to the sweetness of your voice once more," and the ragged tramp—for he was little else—raise and bowed to her maist profoundly.

Miss Macdonald began to greet, quately but bitterly. "Oh, shew some pity, please. Do go and leave me," she moaned. "You hounded me out of Peebles and shamed me out of Annan. You promised the last time I gave you three pounds—my all—that you wouldn't trouble me again, and now you——"

"Ah! that reminds me, my dear, when you mention money, that I do require some of the needful. How much can you accommodate me with?"

"I haven't one penny to give you," she promptly said, wi' mair spunk and decision than yin could hae expected. Man, he looked at her like the very devil, and walkin' up to her he gruppit her by baith her wrists. "Mary, by God, I'm not to be trifled with. Fork out, or I'll tie you to that chair and help myself." "But," she whimpered, "you promised not to bother me again. You're hurtin' me; do please let me go and I'll give you five shillings—that's all I can spare."

"Five shillings! only five shillings!" said he, mockin' her, and afore ye could say Jock Robison he had her by the nape o' her neck.

Man, I couldna' staun' it ony langer, so quate as cheetie pussy, I got doon off the stule. He didna see me, for his back was to me, so, liftin' the big lang poker, I crept up ahin' him, and, wi' a' my micht, I gied him yin in the lirk o' his knee that made him drap like a ninepin. Wi' a yell o' pain and surprise he roonded to me, but I jouked him and oot and hame to my faither wi' the hale story.

"Poor bit lassie," said he, when he heard me oot to the end, "I've always jaloosed she had some secret grief; I'll just slip alang and see her."

Oot he gaed wi' a quicker step than usual, and wi' me followin' him like a dog. Miss Macdonald was sittin' wi' her heid on the desk when we gaed in, sabbin' and greetin', as if her hert wad brek. Withoot much fuss, and wi' a word o' encouragement noo and then frae my faither, she tell't her story—hoo that she was a mairret woman, and that this was her man, wha lang ago had left her to sterve in Glesca, hoo she had struck oot for hersel', aye to be dogget and threatened and robbed by the big naer-dae-weel, and that she had gi'en him money ower and ower again, and hoo that

spunk *spirit*
lirk o' his knee *behind his knee* jouked *ducked* jaloosed *guessed*

he had found her oot again, and was away wi' a' she had saved for her rent, in a' aboot five pounds.

By jinks, when my faither heard a' this he was an angry man, I tell ye. But he keepet it doon afore her and clappit her on the shooder and tell't her to keep up her hert and that she wad get the money back again. Then he gaed oot and up the street, takin' me wi' him by a grup o' my haun'. At the Cross, Drover Dobie tell't him that a big tramp, walkin' wi' a limp, had, not ten meenits bygane, come oot o' the public-hoose and gaen by, in the Gashoose direction. Ower the jail brae we gaed, on oot by the end o' the toon, and, on comin' to the common yett, there we saw oor man sittin' on the roadside, wi' a mutchkin bottle in his haun'. We stoppit juist fornent him, and, says my faither to me "Robert, is that the man?"

"Yes, that's him," said I.

"Sure?"

"Aye, as sure as death," said I. "A' weel," said my faither, "I want to speak to him for a wee. Run away hame, like a wee man."

I made a pretence o' gaun hame, but when I got the chance I clam' the bank up into the plantin', and aince there, I scudded doon the back o' the hedge till I was juist opposite them, and at a place where I could hear and see withoot bein' seen.

My faither had evidently tell't him that he knew a' that had taen place, and what he thocht o' him, for the tramp was flourishin' his stick and tellin' my faither to mind his ain business.

"Noo, look here, you big coward," I heard my faither say, "lay that stick doon. If you don't, I'll take it frae ye and break it across my knee."

But trampie was for haein' nane o' that. Insteid, he cam' on wi' a rush. But my faither closed wi' him, quicker than he expected, and, when the tramp's airm should hae been comin' doon it was gaun up in the air, and the cudgel was

yett *gate* fornent *in front of*
mutchkin *pint* plantin' *wood* scudded *hurried*

lyin' on the road ahint him. Walkin' slowly up, my faither lifted it and broke it ower his knee like a pipe stapple, and flung the broken bits into the wudd. "Noo," said he, "I'll hae a word or twae wi' ye," and he buckled up the wristbands o' his sleeved waistcoat. "You're a cowardly big brute, and you deserve a thrashin', but oot o' respect for the decent, hard-workin' lassie you've worried and robbed, I'll allow you to go, if you gie me back the money you've taken."

For answer, the tramp cuist his coat, and waltzin' roon' my faither, tell't him to come on.

Boys, oh boys! I wish I could describe a' that then took place. Man, at first my faither juist seemed to gie him a rap here and a rap there. Sometimes he chapped him on the nose, and then on the lug, and he never seemed to move off the place where he was staunin'. Then trampie landed a stunner on my faither's cheek, and followed it up by a powerful yin on his chin. At that, I was nearly yellin' oot, for I thocht it was a' by wi' my champion, but wi' an effort I keepit quate. "Aye," said my faither, "where did ye learn that yin, my man? It wasna at a prayer meetin', I'll wager." And then he began, and as sure as death, I never saw ocht like it. My word, I was a prood son I tell ye. Every blow seemed to tell efter that, and, at last, wi' a perfect bobby-dazzler, he landed trampie yin below the jaw that made him spin like a peerie and drap like a stot. He showed nae inclination to rise, so my faither walked ower to him, and ripein' ae pouch efter anither, he cam' on the money—fower sovereigns and eichteen shillin's and tenpence, which he calmly put in his ain breek's pouch, and when the tramp could fairly unnerstaun' what had taen place, my faither tell't him if ever he cam back to Thornhill, he wad break every bane in his miserable body.

Prood! I should think I was prood o' my faither, and when Miss Macdonald got her money back she was a prood woman too. But, puir thing, she didna lang leeve in dreid o'

stapple *stem*
cuist *cast off*
peerie *top*
stot *bullock*
ripein' *searching*
pouch *pocket*

her man, for in aboot three months efter the foregoing she got word that he had deid in some puirhoose aboot Glesca, and, as her story had, in some unaccoontable wey, got abroad in the village, she left Thornhill shortly efter, and that's hoo it cam' aboot that I was sent to be under him wha then, and ever sin syne, I've been prood to caa' the "Maister."

Joseph Laing Waugh

The Pardoner's Sermon

My patent Pardouns, ye may see,
Cum fra the Cane of Tartarie,
  Weill seald with oster-schellis.
Thocht ye have na contritioun,
Ye sall have full remissioun,
  With help of buiks and bellis.
Heir is ane relict, lang and braid.
Of Fine Macoull the richt chaft-blaid,
  With teith and al togidder;
Of Colling's cow heir is ane horne,
For eating of Mackonnal's corne
  Was slaine into Balquhidder.
Heir is ane cord, baith great and lang,
Quhilk hangit Johne the Armistrang,
  Of gude hemp saft and sound:
Gude halie peopill, I stand for'd
Quha ever beis hangit with this cord
  Neids never to be dround.
The culum of Sanct Bridis kow,
The gruntill of Sanct Antoni's sow,
  Quhilk buir his haly bell:
Quha ever he be heiris this bell clinck,
Gif me ane ducat for till drink,
  He sall never gang to hell,
Without he be of Beliell borne:
Maisters, trow ye that this be scorne?

oster-schellis *oyster shells*
chaft-blaid *jaw bone* culum *backside* gruntill *snout*

Cum win this Pardoun, cum.
Quha luifis thair wyfis nocht with thair hart,
I have power theme for till part.
Me think yow deif and dum!
Hes nane of yow curst wickit wyfis,
That halds yow into sturt and stryfis,
Cum tak my dispensatioun:
Of that cummer I sall mak yow quyte,
Howbeit your selfis be in the wyte,
And mak ane fals narratioun.
Cum win the Pardoun, now let se,
For meill, for malt, or for monie,
For cok, hen, guse, or gryse.
Of relicts heir I haif ane hunder;
Quhy cum ye nocht? this is ane wonder:
I trow ye be nocht wyse.

David Lyndsay

Wha has Gude Malt

Wha has gude malt and makis ill drink,
Wa mot be her weird!
I pray to God she rot and stink,
Seven year aboon the erd;
About her bier na bell to clink,
Nor clerk sing, lewed nor leir'd;
Bot quite to hell that she may sink
The taptre while she steir'd:
This beis my prayer
For that man-slayer,
Whill Christ in Heaven sall heird.

Wha brewis and givis me of the best,
Sa it be stark and stale,

luifis *loves*
sturt *trouble*
cummer *wife*
quyte *free*
wyte *wrong*
gryse *young pig*
wa *sad*
mot *must*
weird *fate*
erd *earth*
lewed *ignorant*
leir'd *learned*
taptre *bung*
steir'd *stirred*
heird *hear it*
stark and stale *strong and mature*

White and clear, weil to digest,
In Heaven mete her that ale!
Lang mot she leif, lang mot she lest
In liking ane gude sale;
In Heaven or erd that wife be best,
Without barrat or bale;
When she is deid,
Withouttin plead,
She pass to Heaven all haill.

Anon

Get Up and Bar the Door

It fell about the Martinmas time,
And a gay time it was then,
When our goodwife got puddings to make,
And she's boil'd them in the pan.

The wind sae cauld blew south and north,
And blew into the floor;
Quoth our goodman to our goodwife,
"Gae out and bar the door."—

"My hand is in my hussyfskap,
Goodman, as ye may see,
An' it shou'dna be barr'd this hundred year,
It's no be barr'd for me."

They made a paction 'tween them twa,
They made it firm and sure,
That the first word whae'er shou'd speak,
Shou'd rise and bar the door.

Then by there came two gentlemen,
At twelve o'clock at night,
And they could neither see house nor hall,
Nor coal nor candle-light.

barrat or bale *trouble or sorrow* hussyfskap *housekeeping* paction *pact*

"Now whether is this a rich man's house,
Or whether is it a poor?"
But ne'er a word wad ane o' them speak,
For barring of the door.

And first they ate the white puddings,
And then they ate the black.
Tho' muckle thought the goodwife to hersel'
Yet ne'er a word she spake.

Then said the one unto the other,
"Here, man, tak ye my knife;
Do ye tak aff the auld man's beard,
And I'll kiss the goodwife."—

"But there's nae water in the house,
And what shall we do than?"
"What ails ye at the pudding-broo,
That boils into the pan?"

O up then started oor goodman,
An angry man was he:
"Will ye kiss my wife before my een
And sca'd me wi' pudding-bree?"

Then up and started our goodwife,
Gied three skips on the floor:
"Goodman, you've spoken the foremost word!
Get up and bar the door."

Anon

Cupid and Venus

Fra bank to bank, fra wood to wood I rin,
Ourhailit with my feeble fantasie;
Like til a leaf that fallis from a tree,
Or til a reed ourblawin with the win'.

ourhailit with *impelled by*

Twa gods guides me; the ane of them is blin',
Yea and a bairn brocht up in vanitie;
The next a wife ingenrit of the sea,
And lichter nor a dauphin with her fin.

Unhappy is the man for evermair
That tills the sand and sawis in the air;
But twice unhappier is he, I lairn,
That feedis in his hairt a mad desire,
And follows on a woman throw the fire,
Led by a blind and teachit by a bairn.

Mark Alexander Boyd

Life at the Wells

William Alexander's *Johnny Gibb of Gushetneuk* describes country life in Aberdeenshire about the middle of the nineteenth century. The dialogue is remarkable for its faithfulness to the speech of the area. The Widow Will sends her son Jock to the seaside to "take the waters" under the watchful eye of Mr Saunders.

Maister Saun'ers, as the Celtic landlady had called him, had enjoined on the lad the necessity of being out of bed betimes to accompany him. By six o'clock next morning, accordingly, the two were stalking leisurely along the beach on the east side of the town. At a convenient point they picked their steps down, as other people of both sexes were doing, to where the tide was washing fresh and clear into sundry irregular rocky pools. At the margin of one of these Jock's guide, philosopher, and friend, stooped down, filled a tin jug of the salt water, and then, standing bolt upright, solemnly drank off the whole quantity. The jug contained a pint, ample measure; and when Maister Saun'ers had emptied it, he observed to Jock—"Noo, laddie, I'm easy physicket. I'll need no more; but an ordinar' dose for a stoot healthy man 's aboot half as muckle again as I've ta'en. Here noo, I'll full the juggie to you."

ingenrit *born* dauphin *dolphin* physicket *cured*

And, suiting the action to the word, he filled the tin jug and presented it to Jock, who lifted the vessel to his head with a dubious and tardy sort of movement.

"Drink hardy, noo!" cried Maister Saun'ers, as Jock made a gruesome face, and threatened to withdraw the jug from his lips.

He made a fresh attempt, but could get no farther with the process of drinking.

"Hoot, toot, laddie, that'll never do. That wud hardly be aneuch for a sookin bairn."

The jug was hardly half emptied.

"But it's terrible coorse," pleaded Jock, with a piteous and imploring look.

"Coorse! awa' wi' ye, min! Gweed, clean saut water. Ye sud gae at it hardier, an' ye wud never think aboot the taste o' 't. Come noo!"

Jock made another and not much more successful attempt.

"Hoot, min! Dinna spull the gweed, clean, halesome water—skowff't oot!"

"Weel, but aw canna—it 'll gar me spue," said Jock in a tone approaching the greetin.

"An' altho', fat maitter?" argued his more experienced friend; "that'll help to redd your stamack, at ony rate. Lat me see ye tak' jist ae ither gweed waucht o' 't, and syne we'se be deein for a day till we see. But min' ye it's nae jeesty to tak' owre little—speeshally to begin wi'."

Jock made a portentous and demonstrative gulp, which, I fear, had more show than effect, so far as swallowing the remaining contents of the tin jug was concerned. However, he was reluctantly allowed to spill the remainder.

"Come awa' noo, an' pluck a gweed han'fu o' caller dilse, an' tak' a bite o' them—they 're a prime thing for the

aneuch *enough*
sookin bairn *little baby*
coorse *unpleasant*
gweed *good*
spull *spill*
skowff *swallow*

spue *vomit*
redd your stomach *set your stomach in order*
waucht *draught*
jeesty *sensible*
caller dilse *fresh dulse (a red seaweed)*

constitution," continued Jock Will's new guardian.

This order was more grateful than the former had been, and Jock floundered over the slippery tide-washed boulders with alacrity, to gather dulse. "Tak' the shally anes aye fan ye can get them noo," said Maister Saun'ers, as Jock came up towards him with a bundle of rather rank-looking material. "They 're a vera halesome thing ta'en wi' the water. Leuk at that noo!" And he exhibited a bunch of short, crisp dulse, powdered about the root ends with clusters of tiny shells of the mussel species. "That's the richt thing;" and Maister Saun'ers, after dipping the dulse afresh in a little briny pool, swung them into his mouth. As the shells cracked and crunched away between his excellent grinders, he added, "That shalls has a poo'erfu effeck o' the stamack. We'll awa' roon to Tarlair noo."

When they had walked on to Tarlair, Jock was exhorted to drink as much of the mineral water as he could be persuaded to have thirst for, and to "gyang aboot plenty," but to "tak' care an' keep awa' fae the edges o' that ooncanny banks."

The scene at Tarlair was pretty much what I daresay it often was. About the Well-house were gathered a cluster of visitors, male and female, of various ages, mostly country people, but including a couple of well-dressed sailors, who had evidently been out the night previous on the spree, and had come there to shake off the effects of their debauch, if one might judge from the disjointed exclamations of one of them, who lay stretched at full length on his face on a long stone seat, occasionally complaining of the physical discomfort he was suffering, cursing the day of his return to Macduff, and cursing himself as an unmitigated fool. At a little distance along the valley was a group of sturdy water-drinkers of the male sex, with their coats off, exercising themselves at putting the stone; others, male and female, were to be encountered walking hither and thither, or returning to the Well for another drink; and some lay sluggishly on the brow of the steep grassy banks that shut in Tarlair on the landward side, enjoying the pleasant morning sun, watching any craft that might happen to be in view, or trying to make out as much as they could of the blue hills of Caithness across the Firth. And thus it went on till the several water-drinkers found themselves ready to go home to breakfast.

Of Jock Will's bathing experiences, I daresay, I need say nothing. His guardian was admitted by his compeers to be himself a "hardy dooker," a quality in which, notwithstanding his utmost exhortations, Jock continued to be rather deficient, I fear. The first gluff of the cold water, when it crept up on his person, was a trial which his nerves could hardly withstand; and the oft-repeated injunction to "plype doon fan the jaw's coming" embodied a lesson which Jock invariably shrank from, unless the iron grasp of his preceptor happened to be on his shoulder. Truth to say, Jock had always the feeling that the reflux of the wave would carry him away into some deep unfathomed cave of the Moray Firth. Nevertheless, there are hundreds of nice convenient baylets about the Macduff bathing ground, where even the most inexperienced may safely take a dip; and at any rate no harm came to Jock Will during the period of his stay at the Wells.

William Alexander

The Wee, Wee Man

As I was walking all alane,
  Between a water and a wa',
There I espy'd a wee, wee man,—
  He was the least that e'er I saw.

His legs were scarce a shathmont's length,
  And small and nimble was his thie;
Between his een there was a span;
  Between his shoulders there were three.

plype *plump* jaw *wave* a shathmont's length *about 15cm*

He pull'd up a meikle stane,
And flang't as far as I cou'd see;
Though I had been as Wallace wight,
I couldna liften't to my knee.

"Oh, wee, wee man, but ye be strang!
Oh, tell me where thy dwelling be?"
"I dwell down at yon bonnie bow'r;
Oh, will you go with me and see?"

On we lap, and awa we rade,
Till we came to yon bonnie green;
We lighted down to bait our steed,
And out there came a lady sheen.

With four-and-twenty at her back,
All comely clad in glistering green;
Though there the king of Scots had stood,
The warst might weel ha'e been his queen.

On we lap, and awa we rade,
Till we came to a bonnie hall;
The roof was of the beaten gowd,
The floor was of the crystal all.

When we came there, with wee, wee knights,
Were ladies dancing, jimp and sma';
But in the twinkling of an e'e,
My wee, wee man was clean awa.

Anon

The Battle of Otterbourne

It fell about the Lammas tide,
When the muir-men win their hay;
The doughty Douglas bound him to ride
Into England, to drive a prey.

wight *strong*
bait *feed* sheen *beautiful* jimp *slender*

He chose the Gordons and the Graemes,
  With them the Lindsays, light and gay,
But the Jardines wou'd not with him ride,
  And they rue it to this day.

And he has burn'd the dales of Tyne,
  And part of Bambrough shire;
And three good tow'rs on Reidswire fells,
  He left them all on fire.

And he march'd up to Newcastle,
  And rode it round about:
"Oh, wha 's the lord of this castle,
  Or wha 's the ladye o't?"

But up spake proud Lord Percy then,
  And oh, but he spake hie!
"I am the lord of this castle;
  My wife's the ladye gay."

"If thou'rt the lord of this castle,
  Sae weel it pleases me!
For, ere I cross the Border fells,
  The ane of us shall dee."

He took a lang spear in his hand,
  Shod with the metal free;
And for to meet the Douglas there,
  He rode right furiouslie.

But oh, how pale his ladye look'd,
  Frae aff the castle wall,
When down before the Scottish spear
  She saw proud Percy fall!

"Had we twa been upon the green,
  And never an eye to see,
I wou'd ha'e had you, flesh and fell;
  But your sword shall gae with me."

fell *hide*

"But gae ye up to Otterbourne,
And wait there dayis three;
And, if I come not ere three dayis end,
A fause knight call ye me."

"The Otterbourne's a bonnie burn;
'Tis pleasant there to be;
But there is nought at Otterbourne
To feed my men and me.

"The deer rins wild on hill and dale,
The birds fly wild from tree to tree;
But there is neither bread nor kale,
To fend my men and me.

"Yet I will stay at Otterbourne,
Where you shall welcome be;
And, if you come not at three dayis end,
A fause lord I'll call thee."

"Thither will I come," proud Percy said,
"By the might of Our Ladye!"
"There will I bide thee," said the Douglas,
"My troth I plight to thee."

They lighted high on Otterbourne,
Upon the bent sae brown;
They lighted high on Otterbourne,
And threw their pallions down.

And he that had a bonnie boy,
Sent out his horse to grass;
And he that had not a bonnie boy,
His ain servant he was.

But up then spake a little page,
Before the peep of dawn;
"Oh, waken ye, waken ye, my good lord,
For Percy's hard at hand."

fend *support*
bent *coarse grass*
threw their pallions down *pitched their tents*

"Ye lie, ye lie, ye liar loud!
  Sae loud I hear ye lie;
For Percy had not men yestreen
  To dight my men and me.

"But I have dream'd a dreary dream,
  Beyond the Isle of Skye:
I saw a dead man win a fight,
  And I think that man was I."

He belted on his gude braid sword,
  And to the field he ran;
But he forgot the helmet good
  That shou'd have kept his brain.

When Percy with the Douglas met,
  I wat he was full fain!
They swakk'd their swords, till sair they swat,
  And the blood ran down like rain.

But Percy, with his good broad sword,
  That cou'd so sharply wound,
Has wounded Douglas on the brow,
  Till he fell to the ground.

Then he call'd on his little foot-page,
  And said—"Run speedily,
And fetch my ain dear sister's son
  Sir Hugh Montgomery.

"My nephew good," the Douglas said,
  "What recks the death of ane!
Last night I dream'd a dreary dream,
  And I ken the day 's thy ain.

"My wound is deep; I fain wou'd sleep;
  Take thou the vanguard of the three,
And hide me by the braken bush,
  That grows on yonder lily lee.

dight *meet*
wat *know*
fain *glad*
swakk'd *struck*
recks *matters*
braken *bracken*

"Oh, bury me by the braken bush,
  Beneath the blooming brier;
Let never living mortal ken
  That a kindly Scot lies here."

He lifted up that noble lord,
  With the saut tears in his e'e;
He hid him in the braken bush,
  That his merry-men might not see.

The moon was clear, the day drew near,
  The spears in flinders flew;
But mony a gallant Englishman
  Ere day the Scotsmen slew.

The Gordons good, in English blood
  They steep'd their hose and shoon;
The Lindsays flew like fire about,
  Till all the fray was done.

The Percy and Montgomery met,
  That either of other were fain;
They swapped swords, and they twa swat,
  And aye the blood ran down between.

"Now yield thee, yield thee, Percy," he said,
  "Or else I vow I'll lay thee low!"
"To whom must I yield," quoth Earl Percy,
  "Now that I see it must be so?"

"Thou shalt not yield to lord nor loun,
  Nor yet shalt thou yield to me;
But yield ye to the braken bush
  That grows upon yon lily lee!"

"I will not yield to a braken bush,
  Nor yet will I yield to a brier;
But I wou'd yield to Earl Douglas,
  Or Sir Hugh Montgomery, if he were here."

As soon as he knew it was Montgomery,
He struck his sword's point in the ground;
The Montgomery was a courteous knight,
And quickly took him by the hand.

This deed was done at Otterbourne,
About the breaking of the day;
Earl Douglas was buried at the braken bush,
And the Percy led captive away.

Anon

Lament of the Border Widow

My love he built me a bonnie bow'r,
And clad it all with lilie flow'r;
A brawer bow'r ye ne'er did see,
Than my true love he built for me.

There came a man, by middle day,
He spy'd his sport and went away;
And brought the king that very night,
Who brake my bow'r and slew my knight.

He slew my knight, to me sae dear;
He slew my knight, and poin'd his gear;
My servants all for life did flee,
And left me in extremitie.

I sew'd his sheet, making my mane;
I watch'd the corpse, myself alane;
I watch'd his body night and day;
No living creature came that way.

I took his body on my back,
And whiles I gaed and whiles I sat;
I digg'd a grave, and laid him in,
And happ'd him with the sod sae green.

poin'd *took* making my mane *moaning* happ'd *covered*

But think na ye my heart was sair,
When I laid the moul' on his yellow hair?
Oh, think na ye my heart was wae,
When I turn'd about away to gae?

Nae living man I'll love again,
Since that my lovely knight is slain;
With ae lock of his yellow hair
I'll chain my heart for evermair.

Anon

Willie Drowned in Yarrow

Down in yon garden, sweet and gay,
Where bonnie grows the lilie,
I heard a fair maid singing, say,
"My wish be with sweet Willie.

"Oh, Willie's rare and Willie's fair,
And Willie's wond'rous bonnie,
And Willie's hecht to marry me,
If e'er he married ony.

"But Willie's gane, whom I thought on,
And does not hear me weeping;
Nor see the tears frae true love's e'e,
When other maids are sleeping.

"Oh, gentle wind, that bloweth south,
From where my love repaireth,
Convey a kiss from his dear mouth,
And tell me how he fareth.

"Oh, tell sweet Willie to come down,
And bid him not be cruel;
Oh, tell him not to break the heart
Of his love and only jewel.

moul' *earth* hecht *promised*

"Oh, tell sweet Willie to come down,
To hear the mavis singing;
To see the birds on ilka bush,
And leaves around them hinging.

"The lav'rock there with her white breast,
And gentle throat sae narrow;
There's sport enough for gentlemen
On Leader Haughs and Yarrow.

"Oh, Leader Haughs are wide and braid,
And Yarrow Haughs are bonnie;
There Willie hecht to marry me,
If e'er he married ony.

"Oh, Willie's fair and Willie's rare,
And Willie's wond'rous bonnie;
There's nane with him that can compare,
I love him best of ony.

"Oh, came you by yon water-side?
Pull'd ye the rose or lilie?
Or came ye by yon meadow-green?
Or saw ye my sweet Willie?"

She sought him east, she sought him west,
She sought him braid and narrow;
Syne, in the cleaving of a craig,
She found him drown'd in Yarrow.

Anon

Edom o' Gordon

It fell about the Martinmas,
When the wind blew shrill and cauld,
Said Edom o' Gordon to his men,
"We maun draw to a hald.

mavis *thrush* lav'rock *lark* hald *place of shelter*

"And what an a hald sall we draw to,
My merry men and me?
We will gae to the house of the Rhodes,
To see that fair lady."

She had nae sooner busket her sell,
Nor putten on her gown,
Till Edom o' Gordon and his men
Were round about the town.

They had nae sooner sitten down,
Nor sooner said the grace,
Till Edom o' Gordon and his men
Were closed about the place.

The lady ran up to her tower-head,
As fast as she could drie,
To see if by her fair speeches
She could with him agree.

As soon he saw the lady fair,
And hir yates all locked fast,
He fell into a rage of wrath,
And his heart was aghast.

"Cum down to me, ye lady fair,
Cum down to me; let's see;
This night ye's ly by my ain side,
The morn my bride sall be."

"I winnae cum down, ye fals Gordon,
I winnae cum down to thee;
I winnae forsake my ane dear lord,
That is sae far frae me."

"Gi' up your house, ye fair lady,
Gi' up your house to me,
Or I will burn yoursel therein,
Bot and your babies three."

busket *dressed*
town *house and outhouses*
could drie *was able*
yates *gates*
bot and *and also*

"I winnae gie up, you fals Gordon,
  To nae sik traitor as thee,
Tho' you should burn mysel therein,
  Bot and my babies three."

"Set fire to the house," quoth fals Gordon,
  "Sin better may nae bee;
And I will burn hersel therein,
  Bot and her babies three."

"And ein wae worth ye, Jock my man!
  I paid ye weil your fee;
Why pow ye out my ground-wa-stane,
  Lets in the reek to me?

"And ein wae worth ye, Jock, my man!
  For I paid you weil your hire;
Why pow ye out my ground-wa-stane,
  To me lets in the fire?"

"Ye paid me weil my hire, lady,
  Ye paid me weil my fee,
But now I'm Edom o' Gordon's man,
  Maun either do or die."

O then bespake her youngest son,
  Sat on the nurse's knee,
"Dear mother, gie owre your house," he says,
  "For the reek it worries me."

"I winnae gie up my house, my dear,
  To nae sik traitor as he;
Cum weil, cum wae, my jewels fair,
  Ye maun tak share wi' me."

O then bespake her dochter dear,
  She was baith jimp and sma';
"O row me in a pair o' shiets,
  And tow me owre the wa'."

wae worth *woe be to* reek *smoke* jimp *slender*
pow *pull* worries *chokes* sma' *short* tow *lower*

They row'd her in a pair of shiets,
  And tow'd her owre the wa',
But on the point of Edom's speir
  She gat a deadly fa'.

O bonny, bonny was hir mouth,
  And chirry were her cheiks,
And clear, clear was hir yellow hair,
  Whereon the reid bluid dreips!

Then wi' his spier he turned hir ow'r;
  O gin hir face was wan!
He said, "You are the first that e'er
  I wist alive again."

He turned her ow'r and ow'r again;
  O gin her skin was whyte!
He said, "I might ha spar'd thy life
  To been some man's delyte.

"Busk and boon, my merry men all,
  For ill dooms I do guess;
I cannae luik in that bonny face,
  As it lyes on the grass."

"Them luiks to freits, my master deir,
  Then freits will follow them;
Let it ne'ir be said brave Edom o' Gordon
  Was daunted with a dame."

O then he spied hir ain deir lord,
  As he came ow'r the lee;
He saw his castle in a fire,
  As far as he could see.

"Put on, put on, my mighty men,
  As fast as ye can drie!
For he that's hindmost of my men
  Sall ne'ir get guid o' me."

boon *make ready* freits *omens* drie *go*

And some they raid, and some they ran,
  Fu' fast out-ow'r the plain,
But lang, lang eer he could get up
  They were a' deid and slain.

But mony were the mudie men
  Lay gasping on the grien;
For o' fifty men that Edom brought out
  There were but five gaed hame.

And mony were the mudie men
  Lay gasping on the grien,
And mony were the fair ladys
  Lay lemanless at hame.

And round and round the wa's he went,
  Their ashes for to view;
At last into the flames he flew,
  And bad the world adieu.

Anon

The Lowlands of Holland

"My love has built a bonny ship, and set her on the sea,
With seven score good mariners to bear her company;
There's three score is sunk, and three score dead at sea,
And the Lowlands of Holland has twin'd my love and me.

"My love he built another ship, and set her on the main,
And nane but twenty mariners for to bring her hame;
But the weary wind began to rise, and the sea began to
  rout,
My love then and his bonny ship turn'd withershins about.

"There shall neither coif come on my head, nor comb
  come in my hair;
There shall neither coal nor candle-light shine in my
  bower mair;

mudie *brave* twin'd *parted* withershins about *anti-clockwise*
lemanless *husbandless* rout *roar* coif *covering*

Nor will I love another one until the day I die,
For I never loved a love but one, and he's drowned in the
sea."

"O haud your tongue, my daughter dear, be still and be
content;
There are mair lads in Galloway; ye needna sair lament:"
"O there is nane in Galloway, there's nane at a' for me,
For I never loved a love but ane, and he's drowned in the
sea."

Anon

From The Queen's Maries

Yestreen the Queen had four Maries,
The night she'll ha'e but three;
There was Marie Seaton, and Marie Beaton,
And Marie Carmichael, and me.

Oh, often have I dress'd my Queen,
And put gold upon her hair;
But now I've gotten, for my reward,
The gallows to be my share.

Oh, often have I dress'd my Queen,
And often made her bed;
But now I've gotten, for my reward,
The gallows tree to tread.

I charge ye all, ye mariners,
When ye sail o'er the faem,
Let neither my father nor mother get wit,
But that I'm coming hame.

I charge ye all, ye mariners,
That sail upon the sea,
Let neither my father nor mother get wit,
This dog's death I'm to dee.

faem *sea* get wit *know*

For if my father and mother got wit,
  And my bold brethren three,
Oh, meikle wou'd be the gude red bluid
  This day wou'd be spilt for me!

Oh, little did my mother ken,
  That day she cradled me,
The lands I was to travel in,
  Or the death I was to dee!

Anon

Waly, Waly

O waly, waly up the bank!
  And waly, waly, down the brae!
And waly, waly yon burn-side,
  Where I and my love wont to gae!

I lean'd my back unto an aik,
  I thought it was a trusty tree;
But first it bow'd, and syne it brak,
  Sae my true-love did lightly me.

O waly, waly! but love be bony
  A little time, while it is new;
But when 'tis auld, it waxeth cauld,
  And fades away like morning dew.

O wherefore shoud I busk my head?
  Or wherefore shoud I kame my hair?
For my true-love has me forsook,
  And says he'll never love me mair.

Now Arthur-Seat shall be my bed,
  The sheets shall ne'er be fyl'd by me;
Saint Anton's well shall be my drink,
  Since my true-love has forsaken me.

waly *an exclamation of sorrow*
wont *used* lightly *slight* busk *dress*

Martinmas wind, when wilt thou blaw,
  And shake the green leaves off the tree?
O gentle death, when wilt thou come?
  For of my life I am weary.

'Tis not the frost that freezes fell,
  Nor blawing snaw's inclemency;
'Tis not sic cauld that makes me cry,
  But my love's heart grown cauld to me.

When we came in by Glasgow town,
  We were a comely sight to see;
My love was cled in the black velvet,
  And I my sell in cramasie.

But had I wist, before I kiss'd,
  That love had been sae ill to win,
I'd lock'd my heart in a case of gold,
  And pin'd it with a silver pin.

Oh, oh, if my young babe were born,
  And set upon the nurse's knee,
And I my sell were dead and gane!
  For a maid again I'll never be.

Anon

Annan Water

"Annan water's wading deep,
  And my love Annie's wondrous bonny;
And I am laith she suld weet her feet,
  Because I love her best of ony.

"Gar saddle me the bonny black,
  Gar saddle sune, and make him ready;
For I will down the Gatehope-Slack,
  And all to see my bonny ladye."

cramasie *crimson cloth*

He has loupen on the bonny black,
He stirr'd him wi' the spur right sairly;
But, or he wan the Gatehope-Slack,
I think the steed was wae and weary.

He has loupen on the bonny grey,
He rade the right gate and the ready;
I trow he would neither stint nor stay,
For he was seeking his bonny ladye.

O he has ridden ower field and fell,
Through muir and moss, and mony a mire;
His spurs o' steel were sair to bide,
And frae her fore-feet flew the fire.

"Now, bonny grey, now play your part!
Gin ye be the steed that wins my deary,
Wi' corn and hay ye'se be fed for aye,
And never spur sall make you wearie."

The grey was a mare, and a right good mare;
But when she wan the Annan water,
She couldna hae ridden a furlong mair,
Had a thousand merks been wadded at her.

"O boatman, boatman, put off your boat!
Put off your boat for gowden money!
I cross the drumlie stream the night,
Or never mair I see my honey."

"O I was sworn sae late yestre'en,
And not by ae aith, but by many;
And for a' the gowd in fair Scotland,
I dare na take ye through to Annie."

The side was stey, and the bottom deep,
Frae bank to brae the water pouring;
And the bonny grey mare did sweat for fear,
For she heard the water-kelpy roaring.

loupen *leaped* gate *way* wadded *wagered* stey *steep*
wan *reached* stint *stop* drumlie *muddy* water-kelpy *water-sprite*

O he has pu'd aff his dapperpy coat,
  The silver buttons glancèd bonny;
The waistcoat bursted aff his breast,
  He was sae full of melancholy.

He has ta'en the ford at that stream tail;
  I wot he swam both strong and steady,
But the stream was broad, and his strength did fail,
  And he never saw his bonny ladye!

"O wae betide the frush saugh wand!
  And wae betide the bush of brier!
It brake into my true love's hand,
  When his strength did fail, and his limbs did tire.

"And wae betide ye, Annan Water,
  This night that ye are a drumlie river!
For over thee I'll build a bridge,
  That ye never more true love may sever."

Anon

Proud Maisie

Proud Maisie is in the wood,
  Walking so early;
Sweet Robin sits on the bush,
  Singing so rarely.

"Tell me, thou bonny bird,
  When shall I marry me?"
"When six braw gentlemen
  Kirkward shall carry ye."

"Who makes the bridal bed,
  Birdie, say truly?"
"The grey-headed sexton
  That delves the grave duly.

dapperpy *made of patterned cloth* frush saugh *brittle willow* delves *digs*

"The glow-worm o'er grave and stone
Shall light thee steady.
The owl from the steeple sing,
'Welcome, proud lady.'"

Walter Scott

From The Entail

In this extract the Laird of Grippy discusses with his wife and his half-witted son, Wattie, the settlement of their property.

"And so gudeman," said she, on entering the room, "Ye hae had that auld sneck-drawer, Keelevin, wi' you? I won'er what you and him can hae to say in sic a clandestine manner, that the door maun be ay steekit when ye're thegither at your confabbles. Surely there's nae honesty that a man can hae, whilk his wife ought na to come in for a share of."

"Sit down, Girzy Hypel, and haud thy tongue," was the peevish command which this speech provoked.

"What for will I haud my tongue? a fool posture that would be, and no very commodious at this time; for ye see my fingers are coomy."

"Woman, t'ou's past bearing!" exclaimed her husband.

"An it's nae shame to me, guidman; for everybody kens I'm a grannie."

The Laird smote his right thigh, and shook his left hand, with vexation; presently, however, he said,—

"Weel, weel; but sit ye down, and Watty, tak t'ou a chair beside her; for I want to consult you anent a paper that I'm mindit to hae drawn out for a satisfaction to you a'; for nane may tell when their time may come."

"Ye ne'er made a mair sensible observe, gudeman, in a' your days," replied the Leddy, sitting down; "and it's vera right to make your will and testament; for ye ken what a straemash happened in the Glengowlmahalaghan family,

sneck-drawer *crafty man* steekit *closed* coomy *sooty*

by reason o the Laird holographing his codicil; whilk, to be sure, was a dreadfu' omission, as my cousin, his wife, fand in her widowhood; for a' the moveables thereby gaed wi the heritage to his auld son by the first wife—even the vera silver pourie that I gied her mysel wi' my own hands, in a gift at her marriage—a' gaed to the heir."

"T'ou kens," said Claud, interrupting her oration, "that I hae provided thee wi' the liferent o' a house o' fifteen pounds a-year, furniture, and a jointure of a hundred and twenty over and aboon the outcoming o' thy father's gathering. So t'ou canna expek, Girzy, that I would wrang our bairns wi' ony mair overlay on thy account."

"Ye're grown richer, gudeman, than when we came thegither," replied the Leddy; "and ne'er a man made siller without his wife's leave. So it would be a most hard thing, after a' my toiling and moiling, to make me nae better o't than the stricts o' the law in my marriage articles and my father's will; whilk was a gratus amous, that made me nane behauden to you. No, an ye mean to do justice, gudeman, I'll get my thirds o' the conquest ye hae gotten sin the time o' our marriage; and I'll be content wi' nae less."

"Weel, weel, Girzy, we'll no cast out about a settlement for thee."

"It would be a fearful thing to hear tell o' an we did," replied the Leddy: "Living as we hae lived, a comfort to ane ither for thirty years, and bringing up sic a braw family, wi' so meikle credit. No, gudeman, I hae mair confidence in you than to misdoot your love and kindness, noo that ye're drawing so near your latter end as to be seriously thinking o' making a will. But, for a' that, I would like to ken what I'm to hae."

"Very right, Girzy; very right," said Claud; "but, before we can come to a clear understanding, me and Watty maun conform in a bit paper by oursels, just that there may

holographing	*writing*	pourie	*cream jug*	moiling	*hard work*
codicil	*will*	jointure	*agreed sum of money*	gratus amous	*generous gesture*
heritage	*legacy*			misdoot	*mistrust*

be nae debate hereafter about his right to the excambio we made for Plealands."

"I'll no put hand to ony drumhead paper again," said Watty, "for fear it wrang my wee Betty Bodle."

"Far be it, Watty, frae me, thy father, to think ocht wis wrang to thee or thine but t'ou kens that in family settlements, where there's a patch't property like ours, we maun hae conjunk proceedings. Noo, as I'm fain to do something satisfactory to thy mother, t'ou'll surely never objek to join me in the needfu' instruments to gie effek to my intentions."

"I'll do every thing to serve my mother," replied Walter, "but I'll no sign ony papers."

"Surely, Watty Walkinshaw," exclaimed the old Leddy, surprised at this repetition of his refusal, "ye would nae see me in want, and driven to a needcessity to gang frae door to door, wi' a meal-pock round my neck, and an oaken rung in my hand?"

"I would rather gie you my twa dollars, and the auld French half-a-crown, that I got lang syne, on my birthday, frae grannie," said Watty.

"Then what for will ye no let your father make a rightfu' settlement?" cried his mother.

"I'm sure I dinna hinder him. He may mak fifty settlements for me; I'll ne'er fin' fau't wi' him."

"Then," said the Leddy, "ye canna objek to his reasonable request."

"I objek to no reasonable request; I only say, mother, that I'll no sign ony paper whatsomever, wheresomever, howsomever, nor ever and ever—so ye need na try to fleetch me."

"Ye're an outstrapolous ne'er-do-well," cried the Leddy, in a rage, knocking her neives smartly together, "to speak to thy mother in that way; t'ou sall sign the paper, an te life

excambio	*exchange of lands*
drumhead	*specially drawn up*
conjunk	*joint*
fain	*keen*
meal-pock	*begging bag for oatmeal*
fleetch	*force*
outstrapolous	*obstreperous*
neives	*fists*

be in thy body."

"I'll no wrang my ain bairn for father nor mother; I'll gang to Jock Harrigals, the flesher, and pay him to hag aff my right hand, afore I put pen to law-paper again!"

John Galt

Pawkie Adam Glen

Pawkie Adam Glen,
  Piper o' the clachan,
When he stoited ben,
  Sairly was he pechin';
Spak' a wee, but tint his win',
Hurklet down, an' hoastit syne,
Blew his beik, an' dichtit's e'en,
  And whauzled a' forfouchen.

But his coughin' dune,
  Cheerie kyth'd the bodie—
Crackit like a gun,
  And leuch to auntie Madie;
Cried, "My callans, name a spring,
'Jinglin' John,' or ony thing,
For weel I'd like to see the fling
  O' ilka lass and laddie."

Blythe the dancers flew,
  Usquabae was plenty;
Blythe the piper grew,
  Tho' shaking hands wi' ninety.
Seven times his bridal vow
Ruthless fate had broken thro';
Wha wad thocht his coming now
  Was for our maiden auntie?

flesher *butcher*
hag *hack*
clachan *village*
stoited *staggered*
pechin' *panting*
tint *lost*
hurklet *crouched*
hoastit *coughed*
beik *nose*
dichtit *wiped*
whauzled *wheezed*
forfouchen *exhausted*
kyth'd *showed*
callans *lads*
spring *dance-tune*
usquabae *whisky*

She had ne'er been soucht,
  Cheerie hope was fadin';
Dowie is the thoucht,
  To live an' dee a maiden.
How it comes, we dinna ken,
Wanters aye maun wait their ain,
Madge is hecht to Adam Glen,
  And sune we'll hae a weddin'.

Alexander Laing

The Wee Wee German Lairdie

Wha the deil hae we gotten for a king,
  But a wee wee German lairdie?
And when we gade to bring him hame,
  He was delving in his kail-yardie;
Sheughing kail, and laying leeks,
  Without the hose and but the breeks;
And up his beggar duds he cleeks,
  The wee wee German lairdie.

And he's clappit down in our gudeman's chair,
  The wee wee German lairdie,
And he's brought fouth o' foreign trash,
  And dibbled them in his yardie,
He's pu'd the rose o' English loons,
And broken the harp o' Irish clowns,
But our Scots thristle will jag his thumbs,
  The wee wee German lairdie.

Come up amang our Highland hills,
  Thou wee wee German lairdie,
And see how the Stuarts' lang-kail thrive,
  They dibbled in our yardie;

dowie *unhappy*
hecht *engaged*
delving *digging*
kail-yardie *vegetable garden*
sheughing *temporarily covering with soil*
laying *planting*
but *without*
duds *rags*
cleeks *hitches*
fouth *plenty*
dibbled *planted*
lang-kail *a variety of cabbage*

And if a stock ye dare to pu',
Or haud the yoking o' a plough,
We'll break your sceptre o'er your mou',
  Thou wee bit German lairdie!

Our hills are steep, our glens are deep,
  Nae fitting for a yardie;
And our norland thristles winna pu',
  For a wee bit German lairdie;
And we've the trenching blades o' weir,
  Wad lib ye o' your German gear,
And pass ye' neath the claymore's shear,
  Thou feckless German lairdie!

Auld Scotland, thou'rt o'er cauld a hole
  For nursing siccan vermin;
But the very dogs o' England's court,
  They bark and howl in German.
Then keep the dibble i' thy ain hand,
Thy spade but and thy yardie;
For wha the deil now claims your land,
  But a wee wee German lairdie?

Attributed to
Allan Cunningham

Hey Johnnie Cope

Hey Johnnie Cope, are ye wauken' yet?
Or are your drums a-beatin' yet?
If ye were wauken' I would wait
  To gang to the coals in the mornin'.

Cope sent a challenge frae Dunbar:
"Come, Charlie, meet me an ye daur,
And I'll learn you the art of war,
  If you'll meet me in the mornin'."

stock *stalk*
haud *prevent*
mou' *mouth*
weir *war*
lib *strip*
wauken *awake*
an ye daur *if you dare*

When Charlie looks the letter upon,
He drew his sword the scabbard from:
"Come, and follow me, my merry, merry men,
And we'll meet Johnnie Cope in the mornin'.

Now, Johnnie, be as gude's your word,
Come let us try baith fire and sword,
And dinna flee awa' like a frighted bird
That's chased frae its nest in the mornin'."

When Johnnie Cope he heard of this,
He thought it wadna be amiss
To hae a horse in readiness
To flee awa' i' the mornin'.

Fy, now, Johnnie, get up and rin:
The Highland bagpipes make a din,
It's best to sleep in a hale skin,
For 'twill be a bluidy mornin'.

When Johnnie Cope to Dunbar came,
They speer'd at him, "Where's a' your men?"
"The Deil confound me gin I ken,
For I left them a' i' the mornin'."

"Now, Johnnie, troth, ye were na blate,
To come with the news o' your ain defeat,
And leave your men in sic a strait,
So early in the mornin'."

"I' faith," quo' Johnnie, "I got a fleg
Wi' their claymores and philabegs;
If I face them again, Deil break my legs,
So I wish you a very good mornin'."

Hey, Johnnie Cope, are ye wauken' yet,
Or are your drums a-beatin' yet?
If ye were wauken' I would wait
To gang to the coals in the mornin'.

Adam Skirving

speer'd *asked*
blate *shy*
fleg *scare*
philabegs *kilts*

Charlie is my Darling

'Twas on a Monday morning,
Right early in the year,
That Charlie came to our town,
The Young Chevalier.
  An' Charlie is my darling,
  My darling, my darling,
  Charlie is my darling,
  The Young Chevalier.

As Charlie he came up the gate,
His face shone like the day;
I grat to see the lad come back
That had been lang away.
  An' Charlie is my darling, etc.

Then ilka bonny lassie sang,
As to the door she ran,
Our king shall hae his ain again,
An' Charlie is the man:
  For Charlie he's my darling, etc.

Outower yon moory mountain,
An' down the craigy glen,
Of naething else our lasses sing
But Charlie an' his men.
  An' Charlie he's my darling, etc.

Our Highland hearts are true an' leal,
An' glow without a stain;
Our Highland swords are metal keen,
An' Charlie he's our ain.
  An' Charlie he's my darling,
  My darling, my darling;
  Charlie he's my darling,
  The Young Chevalier.

James Hogg

gate *way*   grat *wept*   leal *loyal*

Maggie Lauder

Wha wadna be in love
Wi' bonnie Maggie Lauder?
A piper met her gaun to Fife,
And speir'd what was't they ca'd her.
Right scornfully she answered him,
"Begone, ye hallanshaker,
Jog on your gate, you bladderskate,
My name is Maggie Lauder."

"Maggie," quoth he, "and by my bags,
I'm fidging fain to see thee;
Sit down by me, my bonnie bird,
In troth I winna steer thee;
For I'm a piper to my trade,
My name is Rob the Ranter;
The lasses loup as they were daft,
When I blaw up my chanter."

"Piper," quoth Meg, "hae ye your bags,
Or is your drone in order?
If you be Rob, I've heard o' you;
Live you upo' the Border?
The lasses a', baith far and near,
Have heard o' Rob the Ranter;
I'll shake my foot wi' right good will,
Gif ye'll blaw up your chanter."

Then to his bags he flew wi' speed,
About the drone he twisted;
Meg up and wallop'd owre the green,
For brawly could she frisk it.
"Weel done," quoth he: "Play up," quoth she:
"Weel bobbed," quoth Rob the Ranter;
"'Tis worth my while to play indeed,
When I hae sic a dancer."

speir'd *asked*
hallanshaker *scamp*
gate *way*
bladderskate *silly talker*
fidging fain *fair delighted*
steer *disturb*
loup *leap*
gif *if*

"Weel hae ye play'd your part," quoth Meg,
"Your cheeks are like the crimson;
There's nane in Scotland plays sae weel
Sin' we lost Habbie Simson.
I've lived in Fife, baith maid and wife,
These ten years and a quarter;
Gin ye should come to Enster Fair,
Speir ye for Maggie Lauder."

Anon

The Banks of Loch Lomond

This is a version of an old street ballad from which the popular song now sung developed.

"Oh, whither away, my bonnie, bonnie may,
So late an' so far in the gloamin'?
The mist gathers grey o'er muirland an' brae,
Oh, whither alane art thou roamin'?"

"I trysted my ain luve the nicht in the broom,
My Ranald, wha lo'es me sae dearly;
For the morrow he marches to Edinburgh toun,
To fecht for the King an' Prince Charlie."

"Yet why weep ye sae, my bonnie, bonnie may?
Your true luve, from battle returnin',
His darlin' will claim in the micht o' his fame,
An' change into gladness her mournin'."

"Oh, weel may I weep—yestreen in my sleep
We stood bride an' bridegroom thegither;
But his lips an' his breath were as chilly as death,
An' his heart's bluid was red on the heather.

"Oh, dauntless in battle as tender in luve,
He'll yield ne'er a foot to the foeman;
But never again frae the field o' the slain
To Moira he'll come an' Loch Lomon'.

may *maid* gloamin' *dusk* trysted *promised to meet*

"Oh, he'll gang the hie road an' I'll gang the low,
But I'll be in Heaven afore him;
For my bed is prepared in the mossy graveyard,
'Mang the hazels o' green Inverarnan.

"The thistle shall bloom, an' the King hae his ain,
An' fond lovers meet in the gloamin',
An' I an' my true luve will yet meet again
Far abune the bonnie banks o' Loch Lomon'."

Anon

Caller Oysters

Of a' the waters that can hobble
A fishin yole or salmon coble,
And can reward the fishers trouble,
Or south or north,
There's nane sae spacious and sae noble
As Firth o' Forth.

In her the skate and codlin sail,
The eil fou souple wags her tail,
Wi' herrin, fleuk, and mackarel,
And whitens dainty:
Their spindle-shanks the labsters trail,
Wi' partans plenty.

Auld Reikie's sons blyth faces wear;
September's merry month is near,
That brings in Neptune's caller chere,
New oysters fresh;
The halesomest and nicest gear
Of fish or flesh.

O! then we needna gie a plack
For dand'ring mountebank or quack,
Wha o' their drogs sae bauldly crack,
And spred sic notions,

abune *above*
caller *fresh*
yole *yawl*
fleuk *flounder*
partans *crabs*
plack *small coin*
drogs *drugs*

As gar their feckless patient tak
Their stinkin potions.

Come prie, frail man! for gin thou art sick,
The oyster is a rare cathartic,
As ever doctor patient gart lick
To cure his ails;
Whether you hae the head or heart-ake,
It ay prevails.

Ye tiplers, open a' your poses,
Ye wha are faush'd wi' plouky noses,
Fling owr your craig sufficient doses,
You'll thole a hunder,
To fleg awa' your simmer roses,
And naething under.

Whan big as burns the gutters rin,
Gin ye hae catcht a droukit skin,
To Luckie Middlemist's loup in,
And sit fu snug
O'er oysters and a dram o' gin,
Or haddock lug.

When auld Saunt Giles, at aught o'clock,
Gars merchant lowns their chopies lock,
There we adjourn wi' hearty fock
To birle our bodles,
And get wharewi' to crack our joke,
And clear our noddles.

Whan Phoebus did his windocks steek,
How aften at that ingle cheek
Did I my frosty fingers beek,
And taste gude fare?

poses *hoards*
faush'd *troubled*
craig *throat*
thole *take*
fleg *scare*
droukit *drenched*
gars *makes*

chopies *shops*
birle *spin*
bodles *small coins*
windocks steek *windows shut*
ingle cheek *fire-side*
beek *warm*

I trow there was nae hame to seek
Whan steghin there.

While glakit fools, o'er rife o' cash,
Pamper their weyms wi' fousom trash,
I think a chiel may gayly pass;
He's no ill boden
That gusts his gabb wi' oyster sauce,
And hen weel soden.

At Musselbrough, and eke Newhaven,
The fisher wives will get top livin,
When lads gang out on Sunday's even
To treat their joes,
And tak of fat pandours a prieven,
Or mussel brose:

Then sometimes 'ere they flit their doup,
They'll ablins a' their siller coup
For liquor clear frae cutty stoup,
To weet their wizen
And swallow o'er a dainty soup,
For fear they gizzen

A' ye wha canna stand sae sicker,
Whan twice you've toom'd the big ars'd bicker,
Mix caller oysters wi' your liquor,
And I'm your debtor,
If greedy priest or drouthy vicar
Will thole it better.

Robert Fergusson

steghin	*heartily eating*
glakit	*stupid*
weyms	*stomachs*
fousoum	*filthy*
gusts his gabb	*fills his mouth*
soden	*boiled*
joes	*sweethearts*
pandours	*oysters*
prieven	*taste*
flit their doup	*move their backside*
cutty stoup	*little mug*
weet their wizen	*wet their whistle*
gizzen	*dry out*
sicker	*steady*
toom'd the big ars'd bicker	*emptied the big tankard*
drouthy	*thirsty*

There was a Lad

There was a lad was born in Kyle,
But whatna day o' whatna style
I doubt it's hardly worth the while
To be sae nice wi' Robin.

Robin was a rovin' boy
Rantin rovin', rantin rovin';
Robin was a rovin' boy,
Rantin rovin' Robin!

Our monarch's hindmost year but ane
Was five and twenty days begun,
'Twas then a blast o' Janwar win'
Blew hansel in on Robin.

The gossip keekit in his loof,
Quo' she, wha lives will see the proof,
This waly boy will be nae coof—
I think we'll ca' him Robin.

He'll hae misfortunes great and sma',
But aye a heart aboon them a';
He'll be a credit till us a',
We'll a' be proud o' Robin.

But sure as three times three mak nine,
I see, by ilka score and line,
This chap will dearly like our kin',
So leeze me on thee, Robin.

Robin was a rovin' boy,
Rantin rovin', rantin rovin';
Robin was a rovin' boy,
Rantin rovin' Robin!

Robert Burns

rantin *boisterous*
hansel *welcoming gift*
loof *palm*
coof *fool*
ilka *every*
leeze me on thee *I dote on you*

The Banks o' Doon

Ye banks and braes o' bonnie Doon,
How can ye bloom sae fresh and fair;
How can ye chant, ye little birds,
And I sae weary, fu' o' care?
Thou'll break my heart, thou warbling bird,
That wantons thro' the flowering thorn:
Thou minds me o' departed joys,
Departed—never to return!

Oft hae I rov'd by bonnie Doon,
To see the rose and woodbine twine;
And ilka bird sang o' its luve,
And fondly sae did I o' mine.
Wi' lightsome heart I pu'd a rose,
Fu' sweet upon its thorny tree;
And my fause luver staw my rose,
But, ah! he left the thorn wi' me.

Robert Burns

A Red, Red Rose

O, my luve's like a red, red rose,
That's newly sprung in June:
O my luve's like the melodie
That's sweetly played in tune.

As fair art thou, my bonnie lass,
So deep in luve am I;
And I will luve thee still, my dear,
Till a' the seas gang dry.

Till a' the seas gang dry, my dear,
And the rocks melt wi' the sun:
O I will luve thee still, my dear,
While the sands o' life shall run:

staw *stole*

And fare thee well, my only luve!
  And fare thee weel a while!
And I will come again, my luve,
  Though it were ten thousand mile.

Robert Burns

Ca' the Yowes to the Knowes

Chorus

Ca' the yowes to the knowes,
Ca' them where the heather grows,
Ca' them where the burnie rowes,
  My bonie dearie.

Hark, the mavis e'ening sang
Sounding Clouden's woods amang
Then a-faulding let us gang,
  My bonie dearie.

We'll gae down by Clouden side,
Thro' the hazels, spreading wide
O'er the waves that sweetly glide
  To the moon sae clearly.

Yonder Clouden's silent towers
Where, at moonshine's midnight hours,
O'er the dewy bending flowers
  Fairies dance sae cheery.

Ghaist nor bogle shalt thou fear—
Thou'rt to Love and Heav'n sae dear
Nocht of ill may come thee near,
  My bonie dearie.

ca' *drive*
yowes *ewes*
knowes *knolls*
burnie rowes *brooklet runs*
mavis' *thrush's*
a-faulding *to the sheep folds*
bogle *hobgoblin*

Chorus

Ca' the yowes to the knowes,
Ca' them where the heather grows,
Ca' them where the burnie rowes,
My bonie dearie.

Robert Burns

Scots, Wha Hae

Scots, wha hae wi' Wallace bled,
Scots, wham Bruce has aften led,
Welcome to your gory bed
Or to victorie!

Now's the day, and now's the hour:
See the front o' battle lour,
See approach proud Edward's power—
Chains and slaverie!

Wha will be a traitor knave.
Wha can fill a coward's grave?
Wha sae base as be a slave?—
Let him turn, and flee!

Wha for Scotland's King and Law
Freedom's sword will strongly draw,
Freeman stand or freeman fa',
Let him follow me!

By Oppression's woes and pains,
By your sons in servile chains,
We will drain our dearest veins
But they shall be free!

Lay the proud usurpers low!
Tyrants fall in every foe!
Liberty's in every blow!
Let us do, or die!

Robert Burns

lour *threaten*

Letter to Willie Nicol

This is the only known piece of Scots prose written by Burns. It is so rich in Scots words and idioms, that a gloss would take up almost as much space as the letter itself. The reader is therefore left to tackle it for himself. The skill shown by Burns makes one regret that he did not give us more prose in Scots.

Carlisle,
1st June, 1787.

Kind, honest-hearted Willie,

I'm sitten down here, after seven-and-forty miles ridin, e'en as forjesket and forniaw'd as a forfoughten cock, to gie ye some notion o' my land-lowper-like stravaguin sin the sorrowfu' hour that I sheuk hands and parted wi' auld Reekie.

My auld ga'd Gleyde o' a meere has huchyall'd up hill and down brae in Scotland and England, as teugh and birnie as a vera deil wi' me. It's true, she's as poor's a sang-makar and as hard's a kirk, and tipper-taipers when she taks the gate, first like a Lady's gentlewoman in a minuwae, or a hen on a het girdle, but she's a yauld, poutherie Girran for a' that; and has a stomach like Willie Stalker's meere that wad hae disgeested tumblerwheels, for she'll whip me aff her five stimparts o' the best aits at a downsittin and ne'er fash her thumb. When ance her ringbanes and spavies, her crucks and cramps, are fairly soupl'd, she beets to, beets to, and aye the hindmost hour the tightest. I could wager her price to a thretty pennies, that for twa or three wooks ridin at fifty miles a day, the deil-stickit a five gallopers acqueesh Clyde and Whithorn could cast saut in her tail.

I hae dander'd owre a' the kintra frae Dunbar to Selcraig, and hae forgather'd wi' mony a guid fallow, and mony a weelfar'd hizzie. I met wi' twa dink quines in particular, ane o' them a sonsie, fine fodgel lass, baith braw and bonie; the tither was a clean-shankit, straught, tight, weel-far'd winch, as blythe's a lintwhite on a flowrie thorn, and as sweet and modest's a new blawn plumrose in a hazle shaw. They were baith bred to mainers by the beuk, and onie ane o' them has as muckle smeddum and rumblegumption as the half o' some presbyteries that you and I baith ken. They play'd me sik a deevil o' a shavie that I daur say if my harigals were turn'd out, ye wad see twa nicks i' the heart o' me like the mark o' a kailwhittle in a castock.

I was gaun to write ye a lang pystle, but, Gude forgie me, I gat mysel sae noutouriously bitchify'd the day after kail-time that I can hardly stoiter but and ben.

My best respecks to the guidwife and a' our common friens, especiall Mr & Mrs Cruikshank, and the honest Guidman o' Jock's Lodge.

I'll be in Dumfries the morn gif the beast be to the fore, and the branks bide hale.

Gude be wi' you, Willie! Amen!

Robt. Burns

The Massacre of the Macpherson

Fhairshon swore a feud
Against the clan M'Tavish
Marched into their land
To murder and to rafish;
For he did resolve
To extirpate the vipers,
With four-and-twenty men
And five-and-thirty pipers.

But when he had gone
Half-way down Strath Canaan,
Of his fighting tail
Just three were remainin'.
They were all he had,
To back him in ta battle;
All the rest had gone
Off, to drive ta cattle.

"Fery coot!" cried Fhairshon.
"So my clan disgraced is;
Lads, we'll need to fight,
Before we touch the peasties.
Here's Mhic-Mac-Methusaleh
Coming wi' his fassals,
Gillies seventy-three,
And sixty Dhuinéwassails!"

"Coot tay to you, sir;
Are you not ta Fhairshon?
Was you coming here
To fisit any person?
You are a plackguard, sir!
It is now six hundred
Coot long years, and more,
Since my glen was plundered."

"Fat is tat you say?
Dare you cock your peaver?
I will teach you, sir,
Fat is coot pehafiour!
You shall not exist
For another day more;
I will shoot you, sir,
Or stap you with my claymore!"

"I am fery glad,
To learn what you mention,
Since I can prevent
Any such intention."
So Mhic-Mac-Methusaleh
Gave some warlike howls,
Trew his skian-dhu,
An' stuck it in his powels.

In this fery way
Tied ta failiant Fhairshon,
Who was always thought
A most superior person.

Fhairshon had a son,
Who married Noah's daughter;
And nearly spoiled ta Flood,
By trinking up ta water:

Which he would have done,
I at least pelieve it,
Had ta mixture peen
Only half Glenlivet.
This is all my tale:
Sirs, I hope 'tis new t' ye!
Here's your fery good healths,
And tamn ta whusky duty!

W E Aytoun

The Tinkler's Waddin

In June, when broom in bloom was seen,
An' bracken waved fu' fresh an' green,
An' warm the sun, wi' silver sheen,
The hills an' glens did gladden, O,
Ae day upon the border bent,
The tinklers pitch'd their gipsy tent,
An' auld an' young, wi' ae consent,
Resolved to haud a waddin, O.

Dirrin dey, a doo a day,
Dirrin doo a da dee, O;
Dirrin dey, a doo a day,
Hurrah for the tinkler's waddin, O!

The bridegroom was wild Norman Scott,
Wha thrice had broke the nuptial knot,
And aince was sentenced to be shot
For breach o' martial orders, O;
His gleesome jo was Madge M'Kell,
A spaewife, match for Nick himsel',
Wi' glamour, cantrip, charm and spell,
She frichtit a' the Borders, O.

bent *grass* spaewife *fortune-teller* cantrip *incantation*

Nae priest was there, wi' solemn face,
Nae clerk to claim o' crowns a brace;
The piper and fiddler played the grace,
  To set their gabs a-steerin, O.
'Mang beef and mutton, port an' veal,
'Mang paunches, plucks, an' guid cow-heal,
Fat haggises, an' cauler jeel,
  They claw'd awa' careerin', O.

Fresh salmon, newly ta'en in Tweed,
Saut ling an' cod o' Shetland breed,
They worried till kytes were like to screed,
  'Mang flaggins an' flasks o' gravy, O.
There was raisin kail, an' sweet-milk saps,
Wi' ewe-milk cheese in whangs an' flaps,
An' they rookit, to gust their gabs an' craps,
  Richt mony a cadger's cavie, O.

The drink flew roun' in wild galore,
An' soon upraised a hideous roar,
Blythe Comus ne'er a queerer core
  Saw seated roun' his table, O.
They drank, they danced, they roared, they sang,
They quarrelled an' 'greed the hale day lang,
An' the wranglin' that rang among the thrang
  Wad matched the tongues o' Babel, O.

The drink gaed dune before their drooth,
Which vex'd baith mony a maw an' mouth,
It damped the fire o' age an' youth,
  An' ilka heart did sadden, O.
Till three stout loons flew ower the fell,
At risk o' life, their drooth to quell,
An' robbed a neebourin' smuggler's stell,
  To carry on the waddin, O.

gabs	*mouths*	rookit	*stole*
a-steerin	*working*	gust	*satisfy*
cauler jeel	*cold jelly*	gabs	*appetites*
worried till		craps	*stomachs*
kytes were like	*their stomachs were likely*	cadger's cavie	*pedlar's hen coop*
to screed	*to burst*	core	*company*
whangs and flaps	*lumps and slices*	stell	*still*

Wi' thunderin' shouts they hailed them back,
To broach the barrels they werena slack,
While the fiddler's plane-tree leg they brak
  For playin' "Fareweel to Whisky," O.
Delirium seized the 'roarious thrang,
The bagpipes in the fire they flang,
An' sowtherin' airns on riggins rang,
  The drink played siccan a plisky, O.

The sun fell laigh owre Solway's banks,
While on they plied their roughsome pranks,
An' the stalwart shadows o' their shanks,
  Wide owre the muir were spreadin', O.
Till, heads an' thraws, amang the whins,
They fell, wi' broken brows an' shins,
An' sair crush'd banes filled mony skins,
  To close the tinkler's waddin, O.

William Watt

Tinkler Pate

They sat by the side
O' the tum'lin' water,
Tinkler Pate
Wi' his wife an' daughter.

Pate sings oot
Wi's back till a tree,
"Hurry, ye limmers,
An' bile some tea!"

Weel they kent
They'd hae cause to rue
Gin they conter'd him,
An' him hauf-fou,

sowtherin' airns *soldering irons*
riggins *rafters*
plisky *trick*
heads an' thraws *heads and tails*
limmers *jades*

Sae the wifie lootit
To fill the tin,
Slippit her fit
An' coupit in.

The daughter, gruppin' her,
Slippit an' a',
An' that was the feenish
O' baith the twa.

Heels owre gowdie
The pair o' them gaed,
Naebody cared,
An' naethin' was said,

But what Pate roared
As they made for the linn,
"Canny, ye jades!
Ye're awa wi' the tin!"

David Rorie

A Mile an' a Bittock

A mile an' a bittock, a mile or twa,
Abüne the burn, ayont the law,
Davie an' Donal' an' Cherlie an' a',
An' the müne was shinin' clearly!

Ane went hame wi' the ither, an' then
The ither went hame wi' the ither twa men,
An' baith wad return him the service again,
An' the müne was shinin' clearly!

The clocks were chappin' in house an' ha',
Eleeven, twal' an' ane an' twa;
An' the guidman's face was turnt to the wa',
An' the müne was shinin' clearly!

lootit *bent down*
coupit *toppled*
heels owre gowdie *head over heels*
linn *waterfall*
law *hill*

A wind got up frae affa the sea,
It blew the stars as clear's could be,
It blew in the een of a' o' the three,
An' the müne was shinin' clearly!

Noo, Davie was first to get sleep in his head,
"The best o' frien's maun twine," he said;
"I'm weariet, an' here I'm awa' to my bed."
An' the müne was shinin' clearly!

Twa o' them walkin' an' crackin' their lane,
The mornin' licht cam grey an' plain,—
An' the birds they yammert on stick an' stane,
An' the müne was shinin' clearly!

O years ayont, O years awa',
My lads, ye'll mind whate'er befa'—
My lads, ye'll mind on the bield o' the law,
When the müne was shinin' clearly!

Robert Louis Stevenson

Thrawn Janet

Fifty years syne, when Mr Soulis cam' first into Ba'weary, he was still a young man—a callant, the folk said—fu' o' book learnin' and grand at the exposition, but, as was natural in sae young a man, wi' nae leevin' experience in religion. The younger sort were greatly taken wi' his gifts and his gab; but auld, concerned, serious men and women were moved even to prayer for the young man, whom they took to be a self-deceiver, and the parish that was like to be sae ill-supplied. It was before the days o' the Moderates—weary fa' them; but ill things are like guid—they baith come bit by bit, a pickle at a time; and there were folk even then that said the Lord had left the college professors to

twine *part*
crackin' *chatting*
their lane *alone*
bield *shelter*
thrawn *twisted*
syne *ago*
gab *speech*
pickle *little*

their ain devices, an' the lads that went to study wi' them wad hae done mair and better sittin' in a peatbog, like their forebears of the persecution, wi' a Bible under their oxter and a speerit o' prayer in their heart. There was nae doubt, onyway, but that Mr Soulis had been ower lang at the college. He was careful and troubled for mony things besides the ae thing needful. He had a feck o' books wi' him—mair than had ever been seen before in a' that presbytery; and a sair wark the carrier had wi' them, for they were a' like to have smoored in the Deil's Hag between this and Kilmackerlie. They were books o' divinity, to be sure, or so they ca'd them; but the serious were o' opinion there was little service for sae mony, when the hail o' God's Word would gang in the neuk of a plaid. Then he wad sit half the day and half the nicht forbye, which was scant decent—writin' nae less; and first, they were feared he wad read his sermons; and syne it proved he was writin' a book himsel', which was surely no fittin' for ane of his years an' sma' experience.

Onyway it behoved him to get an auld, decent wife to keep the manse for him an' see to his bit denners; and he was recommended to an auld limmer—Janet M'Clour, they ca'd her—and sae far left to himsel' as to be ower persuaded. There was mony advised him to the contrar, for Janet was mair than suspeckit by the best folk in Ba'weary. Lang or that, she had had a wean to a dragoon; she hadnae come forrit for maybe thretty year; and bairns had seen her mumblin' to hersel' up on Key's Loan in the gloamin', whilk was an unco time an' place for a God-fearin' woman. Howsoever, it was the laird himsel' that had first tauld the minister o' Janet; and in thae days he wad have gane a far gate to pleesure the laird. When folk tauld him that Janet was sib to the deil, it was a' superstition by his way of it; an' when they cast up the Bible to him an' the witch of Endor,

oxter	*armpit*				
feck	*lot*	limmer	*jade*	unco	*odd*
smoored	*smothered*	wean	*child*	far gate	*long way*
service	*need*	come forrit	*offer oneself as a communicant*	to pleesure	*to please*
neuk	*corner*			sib	*related*

he wad threep it doun their thrapples that thir days were a' gane by, and the deil was mercifully restrained.

Weel, when it got about the clachan that Janet M'Clour was to be servant at the manse, the folk were fair mad wi' her an' him thegether; and some o' the guidwives had nae better to dae than get round her door-cheeks and chairge her wi' a' that was ken't again her, frae the sodger's bairn to John Tamson's twa kye. She was nae great speaker; folk usually let her gang her ain gate, an' she let them gang theirs, wi' neither Fair-guid-een nor Fair-guid-day; but when she buckled to, she had a tongue to deave the miller. Up she got, an' there wasnae an auld story in Ba'weary but she gart somebody lowp for it that day; they couldnae say ae thing but she could say twa to it; till, at the hinder end, the guidwives up and claught haud of her, and clawed the coats aff her back, and pu'd her doun the clachan to the water o' Dule, to see if she were a witch or no, soum or droun. The carline skirled till ye could hear her at the Hangin' Shaw, and she focht like ten; there was mony a guidwife bure the mark of her neist day an' mony a lang day after; and just in the hettest o' the collie-shangie, wha suld come up (for his sins) but the new minister.

"Women," said he (and he had a grand voice), "I charge you in the Lord's name to let her go."

Janet ran to him—she was fair wud wi' terror—an' clang to him, an' prayed him, for Christ's sake, save her frae the cummers; an' they, for their pairt, tauld him a' that was ken't, and maybe mair.

"Woman," says he to Janet, "is this true?"

"As the Lord sees me," says she, "as the Lord made me, no a word o't. Forbye the bairn," says she, "I've been a decent woman a' my days."

"Will you," says Mr Soulis, "in the name of God, and before me, His unworthy minister, renounce the devil

threep	*force*	deave	*deafen*	carline	*old woman*
thrapples	*throats*	gart	*made*	collie-shangie	*uproar*
thir	*those*	lowp	*start*	wud	*mad*
clachan	*village*	soum	*swim*	cummers	*women*

and his works?"

Weel, it wad appear that when he askit that, she gave a girn that fairly frichtit them that saw her, an' they could hear her teeth play dirl thegether in her chafts; but there was naething for it but the ae way or the ither; an' Janet lifted up her hand and renounced the deil before them a'.

"And now," says Mr Soulis to the guidwives, "home with ye, one and all, and pray to God for His forgiveness."

And he gied Janet his arm, though she had little on her but a sark, and took her up the clachan to her ain door like a leddy of the land; an' her scrieghin' and laughin' as was a scandal to be heard.

There were mony grave folk lang ower their prayers that nicht; but when the morn cam' there was sic a fear fell upon a' Ba'weary that the bairns hid theirsels, and even the menfolk stood and keekit frae their doors. For there was Janet comin' doun the clachan—her or her likeness, nane could tell—wi' her neck thrawn, and her heid on ae side, like a body that had been hangit, and a girn on her face like an unstreakit corp. By-an'-by they got used wi' it, and even speared at her to ken what was wrang; but frae that day forth she couldnae speak like a Christian woman, but slavered and played click wi' her teeth like a pair o' shears; and frae that day forth the name o' God cam' never on her lips. Whiles she would try to say it, but it michtnae be. Them that kenned best said least; but they never gied that Thing the name o' Janet M'Clour: for the auld Janet, by their way o't, was in muckle hell that day. But the minister was neither to haud nor to bind; he preached about naething but the folk's cruelty that had gi'en her a stroke of the palsy; he skelpt the bairns that meddled her; and he had her up to the manse that same nicht, and dwalled there a' his lane wi' her under the Hangin' Shaw.

Weel, time gaed by: and the idler sort commenced to think mair lichtly o' that black business. The minister was

girn *snarl*
chafts *jaws*
scrieghin' *screeching*

girn *grimace*
unstreakit corp *untreated corpse*

weel thocht o'; he was aye late at the writing, folk wad see his can'le doon by the Dule water after twal' at e'en; and he seemed pleased wi' himsel' and upsitten as at first, though a'body could see that he was dwining. As for Janet she cam' an' she gaed; if she didnae speak muckle afore, it was reason she should speak less then; she meddled naebody; but she was an eldritch thing to see, an' nane wad hae mistrysted wi' her for Ba'weary glebe.

About the end o' July there cam' a spell o' weather, the like o't never was in that countryside; it was lown an' het an' heartless; the herds couldnae win up the Black Hill, the bairns were ower weariet to play; an' yet it was gousty too, wi' claps o' het wund that rumm'led in the glens, and bits o' shouers that slockened naething. We aye thocht it but to thun'er on the morn; but the morn cam', an' the morn's morning, and it was aye the same uncanny weather, sair on folks and bestial. Of a' that were the waur, nane suffered like Mr Soulis; he could neither sleep nor eat, he tauld his elders; an' when he wasnae writin' at his weary book, he wad be stravaguin' ower a' the countryside like a man possessed, when a'body else was blythe to keep caller ben the house.

Abune Hangin' Shaw, in the bield o' the Black Hill, there's a bit enclosed grund wi' an iron yett; and it seems, in the auld days, that was the kirkyaird o' Ba'weary, and consecrated by the Papists before the blessed licht shone upon the kingdom. It was a great howff o' Mr Soulis's, onyway; there he would sit an' consider his sermons; and indeed it's a bieldy bit. Weel, as he cam' ower the wast end o' the Black Hill ae day, he saw first twa, an' syne fower, an' syne seeven corbie craws fleein' round an' round abune the auld kirkyaird. They flew laigh and heavy, an' squawked to ither as they gaed; and it was clear to Mr Soulis that something had put them frae their ordinar. He wasnae easy

upsitten *proud*
dwining *fading away*
eldritch *uncanny*
mistrysted *fallen foul of*
lown *calm*
slockened *watered*
caller *cool*
bield *shelter*
yett *gate*
howff *haunt*

fleyed, an' gaed straucht up to the wa's; an' what suld he find there but a man, or the appearance of a man, sittin' in the inside upon a grave. He was of a great stature, an' black as hell, and his e'en were singular to see. Mr Soulis had heard tell o' black men, mony's the time; but there was something unco about this black man that daunted him. Het as he was, he took a kind o' cauld grue in the marrow o' his banes; but up he spak for a' that; an' says he: "My friend, are you a stranger in this place?" The black man answered never a word; he got upon his feet, an' begude to hirsle to the wa' on the far side; but he aye lookit at the minister; an' the minister stood an' lookit back; till a' in a meenute the black man was ower the wa' an' rinnin' for the bield o' the trees. Mr Soulis, he hardly kenned why, ran after him; but he was sair forjaskit wi' his walk an' the het, unhalesome weather; and rin as he likit, he got nae mair than a glisk o' the black man amang the birks, till he won doun to the foot o' the hillside, an' there he saw him aince mair, gaun hap, step, an' lowp, ower Dule water to the manse.

Mr Soulis wasnae weel pleased that this fearsome gangrel suld mak' sae free wi' Ba'weary manse; an' he ran the harder, an', wet shoon, ower the burn, an' up the walk; but the deil a black man was there to see. He stepped out upon the road, but there was naebody there; he gaed a' ower the gairden, but na, nae black man. At the hinder end, and a bit feared, as was but natural, he lifted the hasp and into the manse; and there was Janet M'Clour before his een, wi' her thrawn craig, and nane sae pleased to see him. And he aye minded sinsyne, when first he set his een upon her, he had the same cauld and deidly grue.

"Janet," says he, "have you seen a black man?"

"A black man?" quo' she. "Save us a'! Ye're no wise, minister. There's nae black man in a' Ba'weary."

But she didnae speak plain, ye maun understand; but

fleyed	*scared*	forjaskit	*exhausted*	gangrel	*wanderer*
grue	*shiver*	glisk	*glimpse*	hasp	*latch*
hirsle	*shuffle*	birks	*birches*	craig	*neck*

yam-yammered, like a powney wi' the bit in its moo.

"Weel," says he, "Janet, if there was nae black man, I have spoken with the Accuser of the Brethren."

And he sat down like ane wi' a fever, an' his teeth chittered in his heid.

"Hoots," says she, "think shame to yoursel', minister," an' gied him a drap brandy that she keept aye by her.

Syne Mr Soulis gaed into his study amang a' his books. It's a lang, laigh, mirk chalmer, perishin' cauld in winter, an' no very dry even in the tap o' the simmer, for the manse stands near the burn. Sae doun he sat, and thocht of a' that had come an' gane since he was in Ba'weary, an' his hame, an' the days when he was a bairn an' ran daffin' on the braes; and that black man aye ran in his heid like the owercome of a sang. Aye the mair he thocht, the mair he thocht o' the black man. He tried the prayer, an' the words wouldnae come to him, an' he tried, they say, to write at his book, but he couldnae mak' nae mair o' that. There was whiles he thocht the black man was at his oxter, an' the swat stood upon him cauld as well-water; and there was other whiles, when he cam' to himsel' like a christened bairn and minded naething.

The upshot was that he gaed to the window an' stood glowrin' at Dule water. The trees are unco thick, an' the water lies deep an' black under the manse; an' there was Janet washin' the cla'es wi' her coats kilted. She had her back to the minister, an' he, for his pairt, hardly kenned what he was lookin' at. Syne she turned round, an' shawed her face; Mr Soulis had the same cauld grue as twice that day afore, an' it was borne in upon him what folk said, that Janet was deid lang syne, an' this was a bogle in her claycauld flesh. He drew back a pickle and he scanned her narrowly. She was tramp-trampin' in the cla'es, croonin' to hersel'; and eh! Gude guide us, but it was a fearsome face. Whiles she sang louder, but there was nae man born o' woman that could tell the words o' her sang; an' whiles

mirk *dark* daffin' *playing* owercome *chorus*

she lookit sidelang doun, but there was naething there for her to look at. There gaed a scunner through the flesh upon his banes; and that was Heeven's advertisement. But Mr Soulis just blamed himsel', he said, to think sae ill of a puir, auld afflicted wife that hadnae a freend forbye himsel'; an' he put up a bit prayer for him and her, an' drank a little caller water—for his heart rose again the meat—an' gaed up to his naked bed in the gloaming.

That was a nicht that has never been forgotten in Ba'weary, the nicht o' the seventeenth of August, seventeen hun'er an' twal'. It had been het afore, as I hae said, but that nicht it was hetter than ever. The sun gaed doun amang unco-lookin' clouds; it fell as mirk as the pit; no a star, no a breath o' wund; ye couldnae see your han' afore your face, and even the auld folk cuist the covers frae their beds and lay pechin' for their breath. Wi' a' that he had upon his mind, it was gey and unlikely Mr Soulis wad get muckle sleep. He lay an' he tummled; the gude, caller bed that he got into brunt his very banes; whiles he slept, and whiles he waukened; whiles he heard the time o' nicht, and whiles a tyke yowlin' up the muir, as if somebody was deid; whiles he thocht he heard bogles claverin' in his lug, an' whiles he saw spunkies in the room. He behoved, he judged, to be sick; an' sick he was—little he jaloosed the sickness.

At the hinder end, he got a clearness in his mind, sat up in his sark on the bedside, and fell thinkin' aince mair o' the black man an' Janet. He couldnae weel tell how—maybe it was the cauld to his feet—but it cam' in upon him wi' a spate that there was some connexion between thir twa, an' that either or baith o' them were bogles. And just at the moment, in Janet's room, which was neist to his, there cam' a stramp o' feet as if men were wars'lin', an' then a loud bang; an' then a wund gaed reishling round the fower quarters of the house; an' then a' was aince mair as seelent as the grave.

cuist	*threw off*	tyke	*dog*		
pechin'	*gasping*	spunkies	*will-o-the-wisps*	jaloosed	*recognised*

Mr Soulis was feared for neither man nor deevil. He got his tinder-box, an' lit a can'le, an' made three steps o't ower to Janet's door. It was on the hasp, an' he pushed it open, an' keeked bauldly in. It was a big room, as big as the minister's ain, an' plenished wi' grand, auld, solid gear, for he had naething else. There was a fower-posted bed wi' auld tapestry; and a braw cabinet of aik, that was fu' o' the minister's divinity books, an' put there to be out o' the gate; an' a wheen duds o' Janet's lying here and there about the floor. But nae Janet could Mr Soulis see; nor ony sign of a contention. In he gaed (an' there's few that wad hae followed him) an' lookit a' round, an' listened. But there was naethin' to be heard, neither inside the manse nor in a' Ba'weary parish, an' naethin' to be seen but the muckle shadows turnin' round the can'le. An' then a' at aince, the minister's heart played dunt an' stood stockstill; an' a cauld wund blew amang the hairs o' his heid. Whaten a weary sicht was that for the puir man's een! For there was Janet hangin' frae a nail beside the auld aik cabinet: her heid aye lay on her shoother, her een were steeked, the tongue projekit frae her mouth, and her heels were twa feet clear abune the floor.

God forgive us all! thocht Mr Soulis, poor Janet's dead.

He cam' a step nearer to the corp; an' then his heart fair whammled in his inside. For by what cantrip it wad ill-beseem a man to judge, she was hingin' frae a single nail an' by a single wursted thread for darnin' hose.

It's an awfu' thing to be your lane at nicht wi' siccan prodigies o' darkness; but Mr Soulis was strong in the Lord. He turned an' gaed his ways oot o' that room, and lockit the door ahint him; and step by step, doon the stairs, as heavy as leed; and set doon the can'le on the table at the stairfoot. He couldnae pray, he couldnae think, he was dreepin' wi' caul' swat, an' naething could he hear but the dunt-dunt-duntin' o' his ain heart. He micht maybe have stood there an hour, or maybe twa, he minded sae little;

aik *oak* duds *garments*
a wheen *a few* contention *struggle* steeked *closed*

when a' o' a sudden, he heard a laigh, uncanny steer upstairs; a foot gaed to an' fro in the cha'mer whaur the corp was hingin'; syne the door was opened, though he minded weel that he had lockit it; an' syne there was a step upon the landin', an' it seemed to him as if the corp was lookin' ower the rail and doun upon him whaur he stood.

He took up the can'le again (for he couldnae want the licht), and as saftly as ever he could, gaed straucht out o' the manse an' to the far end o' the causeway. It was aye pit-mirk; the flame o' the can'le, when he set it on the grund, brunt steedy and clear as in a room; naething moved, but the Dule water seepin' and sabbin' doon the glen, an' yon unhaly footstep that cam' ploddin' doun the stairs inside the manse. He kenned the foot ower weel, for it was Janet's; and at ilka step that cam' a wee thing nearer, the cauld got deeper in his vitals. He commended his soul to Him that made an' keepit him; "and, O Lord," said he, "give me strength this night to war against the powers of evil."

By this time the foot was comin' through the passage for the door; he could hear a hand skirt alang the wa', as if the fearsome thing was feelin' for its way. The saughs tossed an' maned thegether, a lang sigh cam' ower the hills, the flame o' the can'le was blawn aboot; an' there stood the corp of Thrawn Janet, wi' her grogram goun an' her black mutch, wi' the heid aye upon the shoother, an' the girn still upon the face o't—leevin', ye wad hae said—deid, as Mr Soulis weel kenned—upon the threshold o' the manse.

It's a strange thing that the saul of man should be that thirled into his perishable body; but the minister saw that, an' his heart didnae break.

She didnae stand there lang; she began to move again an' cam' slowly towards Mr Soulis whaur he stood under the saughs. A' the life o' his body, a' the strength o' his speerit, were glowerin' frae his een. It seemed she was gaun to speak, but wanted words, an' made a sign wi' the left hand.

laigh *low*
steer *movement*
saughs *willows*
maned *moaned*
thirled *bound*

There cam' a clap o' wund, like a cat's fuff; oot gaed the can'le, the saughs skrieghed like folk, an' Mr Soulis kenned that, live or die, this was the end o't.

"Witch, beldame, devil!" he cried, "I charge you, by the power of God, begone—if you be dead, to the grave—if you be damned, to hell."

An' at that moment the Lord's ain hand out o' the Heevens struck the Horror whaur it stood; the auld, deid, desecrated corp o' the witch-wife, sae lang keepit frae the grave and hirsled round by deils, lowed up like a brunstane spunk and fell in ashes to the grund; the thunder followed, peal on dirling peal, the rairing rain upon the back o' that; an Mr Soulis lowped through the garden hedge, and ran, wi' skelloch upon skelloch, for the clachan.

That same mornin' John Christie saw the Black Man pass the Muckle Cairn as it was chappin' six; before eicht, he gaed by the change-house at Knockdow; an' no lang after, Sandy M'Lellan saw him gaun linkin' doun the braes frae Kilmackerlie. There's little doubt but it was him that dwalled sae lang in Janet's body; but he was awa' at last; and sinsyne the deil has never fashed us in Ba'weary.

But it was a sair dispensation for the minister; lang, lang he lay ravin' in his bed; and frae that hour to this, he was the man ye ken the day.

R L Stevenson

A Pair o' Nicky Tams

Fan I was only ten year auld, I left the pairish schweel,
My Faither fee'd me tae the Mains tae chaw his milk and
 meal,
I first pit on my narrow breeks, tae hap my spinnel trams,
Syne buckled roon my knappin knees, a pair o' Nicky
 Tams.

fuff *hiss*
hirsled *harassed*
lowed *blazed*
brunstane *burning*
spunk *match*
skelloch *shriek*
linkin' *striding*
fashed *troubled*
nicky tams *leg bands*
spinnel trams *spindly legs*
knappin *knocking*

It's first I gaed on for baillie loon and syne I gaed on for
third,
An' syne, of course, I had tae get the horseman's grippin'
wird,
A loaf o' breed tae be my piece, a bottle for drinkin' drams,
Bit ye canna gyang thro' the caffhouse door without yer
Nicky Tams.

The fairmer I am wi' eynoo he's wealthy, bit he's mean,
Though corn's cheap, his horse is thin, his harness fairly deen.
He gars us load oor cairts owre fou, his conscience has nae
qualms,
Bit fan breist-straps brak there's naething like a pair o'
Nicky Tams.

I'm coortin' Bonnie Annie noo, Rob Tamson's kitchie
deem,
She is five-and-forty an' I am siventeen,
She clorts a muckle piece tae me, wi' different kinds o' jam,
An' tells me ilka nicht that she admires my Nicky Tams.

I startit oot, ae Sunday, tae the kirkie for tae gyang,
My collar it wis unco ticht, my breeks were nane owre lang.
I had my Bible in my pooch, likewise my Book o' Psalms,
Fan Annie roared, "Ye muckle gype, tak' aff yer Nicky Tams!"

Though unco swear, I took them aff, the lassie for tae
please,
But aye my breeks they lirkit up, a' roon aboot my knees.
A wasp gaed crawlin' up my leg, in the middle o' the
Psalms,
So niver again will I enter the kirk without my Nicky Tams.

I've often thocht I'd like tae be a bobby on the Force,
Or maybe I'll get on the cars, tae drive a pair o' horse.
Bit fativer it's my lot tae be, the bobbies or the trams,
I'll ne'er forget the happy days I wore my Nicky Tams.

G S Morris

grippin' wird	*password*	breist-straps	*traces*	swear	*unwilling*
deen	*done*	gype	*booby*	lirkit	*rumpled*

The Barnyards o' Delgaty

As I cam' in tae Turra market,
Turra market for tae fee,
It's I fell in wi' a wealthy fairmer,
The Barnyards o' Delgaty.

Linten addie toorin addie,
Linten addie toorin ae,
Linten lowrin', lowrin', lowrin',
The Barnyards o' Delgaty.

He promised me the ae best pair,
That was in a' the kintra roon,
Fan I gaed hame tae the Barnyards
There was naething there but skin and bone.

The auld black horse sat on his rump
The auld white mare lay on her wime
For a' that I would hup and crack
They wouldna rise at yokin' time.

It's lang Jean Scott she maks ma bed
You can see the marks upon my shins
For she's the coorse ill-trickit jaud
That fills my bed wi' prickly whins.

Meg McPherson maks my brose
An' her an' me we canna gree,
First a mote and syne a knot
An' aye the ither jilp o' bree.

Fan I gang tae the kirk on Sunday
Mony's the bonny lass I see,
Sittin' by her faither's side,
An' winkin' ower the pews at me.

wime *belly*
jilp *splash*
bree *thin liquid*

Oh, I can drink and no get drunk,
An' I can fecht an' no get slain,
An' I can lie wi' anither lad's lass,
An' aye be welcome tae my ain.

My caun'le noo it is burnt oot
Its lowe is fairly on the wane;
Sae fare ye weel ye Barnyards
Ye'll never catch me here again.

Anon

The Muckin o' Geordie's Byre

In a little auld craft upon the hill
Roun the neuk fae Sprottie's Mill,
Tryin aa his life the time to kill
Lived Geordie Macintyre.
He had a wife as sweirt's himsel,
A dochter as black's Auld Nick in Hell;
There was some fun had awa at the mill
At the muckin o' Geordie's byre.

Chorus: The graip was tint, the besom was dune,
The barra wadna rowe its lane,
And siccan a steer there never was seen
As the muckin o' Geordie's byre.

The dochter had to strae and neep,
The auld wife stertit to soop the greep
When Geordie fell sklyte on a rottan neep
At the muckin o' Geordie's byre.
Doun the greep cam Geordie's soo
And she stuid up ahint the coo
The coo kickit out and oh what a stew
At the muckin o' Geordie's byre.

lowe	*flame*	tint	*lost*		
craft	*croft*	rowe	*roll*	soop	*sweep*
sweirt	*lazy*	steer	*disturbance*	greep	*byre gutter*
graip	*pitchfork*	strae and neep	*feed the cattle*	fell sklyte	*slipped and fell*

The auld wife she was booin doun
The soo was kickit on the croun
And stuck her heid throu the wifie's goun
   And ran through Geordie's byre.
The dochter cam throu the barn door
And seein her mither lat out a roar,
She ran to the midden and fell owre the boar
   At the muckin o' Geordie's byre.

The boar he lap the midden dyke
And owre the rigs wi Geordie's tyke;
They baith ran intil a bumbee's byke
   At the muckin o' Geordie's byre.
The cocks and hens begoud to craw
When Biddie astride the soo they saw,
The Postie's shaltie ran awa
   At the muckin o' Geordie's byre.

A hunder year hae passed and mair,
At Sprottie's Mill the hill is bare,
The craft's awa sae ye'll see nae mair
   The muckin o' Geordie's byre.
His folk's aa deid and awa lang syne
Sae in case his memory ye should tine
Juist whustle this tune to keep ye in min'
   O the muckin o' Geordie's byre.

Anon

The Neep-fields by the Sea

Ye'd wonder foo the seasons rin
This side o' Tweed an' Tyne;
The hairst's awa'; October month
Cam in a whilie syne,
But the stooks are oot in Scotland yet,
There's green upon the tree,
And oh! what grand's the smell ye'll get
Frae the neep-fields by the sea!

booin *bending*
byke *nest*
shaltie *pony*
tine *lose*
neep-fields *turnip fields*

The lang lift lies abune the warld,
On ilka windless day
The ships creep doon the ocean line
Sma' on the band o' grey;
And the lang sigh heaved upon the sand
Comes pechin' up tae me
And spiels the cliffs tae whaur ye stand
I' the neep-fields by the sea.

Oh, time's aye slow, tho' time gangs fast
When siller's a' tae mak',
An' deith, afore ma poke is fu'
May grip me i' the back;
But ye'll tak ma banes an' my Sawbath braws,
Gin deith's owre smairt for me,
And set them up amang the shaws
I' the lang rows plantit atween the wa's,
A tattie-dulie for fleggin' craws
I' the neep-fields by the sea.

Violet Jacob

The Robin

The stable and byre at Linmill were on opposite sides o the closs mou, and ilk had a winnock that lookit oot on the closs, but there was a corn kist at the stable winnock, wi a slopin lid that was ower steep to sit on, sae if ye wantit to sit and look oot into the closs ye had to gang to the byre, whaur there was a sait ablow the winnock for the daft men, whaur they could bide efter lowsin-time till they had to gang inbye to bed.

The byre could haud ten kye, and whiles it was fou, for my grandfaither whiles brocht on young beasts if he had mony parks in hey, but for ordinar there was juist the ae cou, for milk and butter for the hoose.

pechin' *panting*
speils *climbs*
tattie-dulie *scarecrow*
fleggin' *frightening*

ilk *each*
winnock *window*
lowsin-time *end of the day's work*

If the byre was tuim in the winter ae end o it was aye piled wi firewuid, for in the back end, efter the weedin was bye, my grandfaither wad cut doun ane o the auld beeches aside Clyde, to let licht into the strawberries, and it was poued up to Linmill by the fower horses, and sawn in the closs, and the muckle logs cairrit into the byre by the daft men to be split wi the big aix whan wark was slack in bad wather.

On my Christmas holiday I used to gang to the byre to sit on the sait at the winnock, whiles to watch my grandfaither or Joe the Pole swingin the big aix, and whiles, if aa the men were thrang somewhaur else, juist to look oot into the closs.

I was sittin ae efternune aa alane, for the men were oot on the Clyde road wi the snaw-plew, and I hadna been alloued to gang, for I had been oot wi them in the forenune and gotten soaked to the skin, and my grannie said she wad hae nae mair claes o mine to dry in the beyler-hoose, there was haurdly room for anither steik. I had gane to the beyler-hoose, thinkin to sit at the warm beyler fire, but the steam in the place was past tholin, sae I had to be content wi the byre.

There was deep snaw in the closs, save whaur the snaw-plew had been driven frae the cairt shed to the closs mou on its wey oot, and in the snaw there were futemarks, ae lot atween the back entry and the hen-hoose, anither atween the back entry and the milk-hoose, and anither atween the milk-hoose and the barn. Ye could tell aa that had gane on that day juist by lookin at the futemarks.

Some ane gaun to the hen-hoose, Daft Sanny mebbe, had skailed some corn in the snaw juist fornent the byre winnock, and there were dizzens o birds at it, speuggies and shuilfies and a blackie or twa, and ae wee robin. I dinna ken what cam ower me, for I suld hae kent better, but the mair I watchit the robin the mair I wantit to catch it, no to hairm it, but juist to haud it in my haund.

tuim *empty*
thrang *busy*
steik *stitch*
tholin *enduring*
skailed *spilled*
speuggies *sparrows*
shuilfies *chaffinches*

I wadna hae thocht o it, mebbe, gin it hadna been that juist a wheen days afore I had been telt by my cuisin Jockie, that if ye pat doun some corn, and syne set a riddle ower it, wi ae end o the riddle restin on a bit o stick wi a lang string tied to it, ye could hide somewhaur oot o sicht wi the string in yer haund till birds cam to the corn, syne pou the string, and the riddle wad tummle on the birds and trap them.

I couldna ask my grandfaither for the lend o a riddle, for he wadna be back till daurk, and I didna want to gang near my grannie again, for she was in a bad tid, sae I juist gaed to the stable without a word to onybody. I kent there was a riddle there, for my grandfaither used it to shake dirt oot o the locusts, that the horses ate wi their trecle.

I fand the riddle aa richt, then stertit to look for a lang bit o string. There was nane in the stable or the byre, but I kent there were big roun rolls o it in the barn, whaur it was used for dernin up bags whan they were filled wi tatties.

I gaed into the closs mou and listened for a while. There was nae steer at the back entry. I slippit across the closs to the barn door, usin the auld futemarks.

It was gey daurk in the barn, but I fand the string near the door, and it cam ower me aa at ance that I had nae knife to cut it wi. I wasna bate, though, for there were a wheen heuks in the barn, and I used ane o them.

I slippit back to the byre again, and fand a bit o stick, and in a wee while I was ready for the trappin. I set the riddle ower the corn Daft Sanny had skailed in the snaw, and efter a while managed to balance ae end o it on my bit o stick, syne took the end o the string to the byre winnock. The fute o the winnock had wuiden shutters insteid o gless, and I opent ane o them and pat the string end through. Syne I gaed into the byre and sat doun on the sait, wi the string in my haund, ready to pou it if the robin hoppit into my trap.

For a lang time nae birds gaed near it, and I was beginning to think my cuisin Jockie was a leear, and that

tid *mood*
locusts *locust beans*
steer *activity*
bate *beaten*
a wheen *a few*

birds had faur mair sense than he thocht. But in the end alang cam a speuggie, and syne anither, and afore lang there were aboot hauf a dizzen, aa peckin at the corn aneth the riddle, and I could hae catchit them wi nae bother by juist pouin the string.

I began to think they wad hae aa the corn peckit afore the robin cam near.

But syne cam a shuilfie, and I grew hairtent again. Shairly if a shuilfie could come, a robin micht tae.

But nae robin cam for a while yet, though there were three shuilfies by nou, ane o them a bonnie cock. I thocht that if the warst cam to the warst I could be content wi the cock shulfie, but nae suner had I thocht it than the cock flew awa.

There was gey little corn left, I was shair, and I had juist made up my mind then that a hen shuilfie wad dae me, whan doun flew the robin aff the hen-hoose rufe.

It hoppit for a while aa roun the riddle, gey cannie, and keepit cockin its heid frae ae side to the ither, watchin for cats, mebbe, or mebbe for folk, but I sat as still as daith and it didna see me.

In the end it hoppit in aneth the riddle, and my hairt gied a lowp. I poued the string and naething happened. It was ower slack. I drew in the slack and poued again. The stick cam awa and the riddle tummlet, and a bird or twa flew awa wi a frichtent chacker, but whether the robin was wi that lot, or trappit in the riddle, I didna ken.

I gaed oot into the closs and had a look. There was three birds in the riddle, twa wee speuggies, flutterin like mad, and the robin. But the robin was hurt. The edge o the riddle had come doun on its wing.

I felt a richt bruit, I can tell ye, but it was ower late nou to think o lettin the puir thing gang. Wi its wing hurt it wadna be able to flee, and a cat wad get it, or a hoodie craw. I wad hae to keep it for a while, and feed it, till its wing was better.

But I hadna gotten it oot o the riddle yet.

It was a problem, for I kent that if I liftit the thing the birds wad juist scatter. I didna care about the wee speuggies, and I kent that the robin couldna win faur, but for aa that I was keen to grip it in case it micht win somewhaur oot o my reach, into a corner o the cairt shed, mebbe, ahint some graith, whaur a cat could win at it, but no me.

I made up my mind to lift the riddle wi ae haund, and grip the robin wi the ither, but I was sae feart to hurt it that I began to trummle, and couldna lippen to my haund.

I sat for a wee on my hunkers to try and steady mysell, but the mair I thocht o hurtin the robin the mair nervous I grew, and I began to wish my grandfaither was there to help me.

But the speuggies were in sic a panic, and the wee robin was lyin sae twistit and quait, wi its een shut ticht and its beak wide open, that I kent I wad hae to dae something sune.

I slippit my richt haund alang the riddle edge to whaur it lay on the robin, wi my fingers spread oot ready to grab, and grippit the riddle wi my left.

I sat for a while makin up my mind, wi my hairt fair thumpin, syne breinged at the job ower hard.

The riddle flew awa to the byre waa, and the two speuggies scattert in the snaw, and my richt haund fastent on the robin.

I didna grip it richt, though, for I had its bad wing atween my pinkie and my third finger, and I was shair by the wey it clawed me with its lang peyntit taes, and skreched wi its beak wide open, that I was hurtin it.

I didna drap it, though. I cheynged it to my left haund, makin shair I had its twa wings lyin close alang its sides, and held it wi its heid stickin oot atween my thoom and my first finger, and in a wee while it fastent its taes roun my pinkie, and lay content. Its een were still shut, but its hairt was gaun a dinger, and I kent there was life in it yet.

I wonert whaur I could pit it.

I had seen cages for birds at the Hannah's in Linville, for

graith *gear* lippen *trust* breinged *lunged*

ane o the Hannah halflins used to catch linties wi bird lime and keep them in cages till they were weill eneuch used to them to sing, and syne he selt them. I had whiles wantit to hae a cage wi a lintie, but my grannie wadna hear o it. She had aye said it was hairtless, keepin birds in cages. Sae there were nae cages at Linmill.

I thocht mebbe a box wad dae, but I was feart to gang to my grannie wi a robin and ask for ane, for I kent she wad be mad wi me for hurtin the craitur, and I was fair at my wit's end, and wishin hard for my grandfaither, whan I thocht o the clocker's caivie.

The caivie was used ilka spring, on the green fornent the hoose front door. As sune as a hen stertit clockin my grannie pat it into a coop wi a wheen cheenie eggs in it, and if it took to them she sent my grandfaither oot efter daurk, wi a kleckin o rale eggs in a basket, to slip his haund aneth the hen and tak the cheenie eggs awa, ane at a time, pittin the rale eggs in their place. In the mornin, afore the hen was alloued oot for its corn and watter, the caivie was laid against the front o the coop, to keep the hen frae wanerin aff and lettin the eggs get cauld. It bade there till efter the hen had kecklet, to keep the chicks frae wanerin tae, and the wire nettin it was made o was gey smaa in the mesh. I thocht it wad haud my robin.

In the winter the caivie wad be somewhaur in the cairt shed, sae I gaed there to look.

I fand it at last, laid against the bumper, and had a gey job settlin it flat on the grun, for I had juist the ae haund I could use, and the meenit I exertit mysell to move the caivie I fand mysell grippin the robin ower ticht, and it dug its taes into my pinkie.

I gat the caivie on the grun, though, and warkit some dirt roun the edges wi my shune, to mak shair that the robin couldna slip oot ablow them, but there was still the open end to contend wi. In the end I fand the coop, and drew it up fornent the caivie, though it took aa my strength, and I

halflins *youths*
clocker *broody hen* caivie *hen-coop* kleckin *clutch*

squeezed the wee robin again. But the job was dune. There were twa wee cleiks to haud the coop and the caivie thegither, and whan they were baith fastent there was nae wey oot.

There was a wee lid on the tap o the caivie, that my grannie used whan she gaed to feed the clocker, and I opent this and held the robin weill doun. Syne I opent my haund and let it gang.

I was sae feart it micht win oot through the lid that I drew awa my haund ower quick, and the puir thing fell on the grun. It lay for a while as if deid, but whan I was leanin ower to fasten the lid I banged a fute against the wire nettin, and it gaed into a panic, flappin its ae guid wing, and spinnin like a peerie in the dirt, puir thing, till it was ower tired to move ony mair.

I had a job to keep frae greitin, but I could see it wasna deid, and I determined that as lang as there was life in it I wad try to save it. Sae I ran to the back entry and stude listenin. There was nae soond in the haill hoose. I slippit into the scullery and took a scone frae the breid crock. Syne I took a saucer frae the bunker and filled it wi watter in the back entry, frae ane o the pails, and gaed awa back to the caivie.

The wee robin had moved. It was couryin in a corner, still as daith, but when I opent the lid to lay doun the saucer and scatter some crumbs o the scone, it opent ae ee wide, as if to see whit was whaat.

I began to think it micht come roun yet, but I couldna wait ony langer, for I could hear frae the steer at the closs mou yett that the horses were back wi the snaw plew.

I was watchin my grandfaither lowsin the harness whan my grannie cried me in for my tea.

I sat and said naething, wonerin what I could tell her gin she askit me what I had been daein, but she gaed on aboot the snaw, and what a nuisance it was, till the daft men cam in for their tea at the side table.

cleiks *hooks* couryin *cowering*
peerie *top* yett *gate* lowsin *taking off*

Syne my grandfaither cam in frae the stable, and the first words he said gart me bite my tongue.

"What's that riddle daein at the byre winnock? I left it in the stable."

"I haena touched yer riddle," said my grannie.

My grandfaither turnt to me.

"Were you playin wi the riddle, Rab?"

"Ay."

"Ye micht hae putten it back, then."

"I'll pit it back efter my tea."

"Ye're ower late. I pat it back mysell."

It was aa he said, sae I didna tell him what I had been daein wi it. I made up my mind to keep the robin a secret.

I didna win oot again to see it that nicht, and I lay for a lang while no sleepin, and wishin I hadna listent to my cuisin Jockie. I didna faa asleep till near mornin, and whan I waukent it was late.

My grandfaither had taen his breakfast and gane awa oot withoot me, to clear the snaw on the Lesmahagow road, and it was juist as weill, for if I had been up and he had offert to let me gang wi him he wad hae thocht it queer that I wantit to bide at hame.

Whan I saw my grannie thrang at the dishes I slippit oot to the cairt shed.

There was a cat lyin flat fornent the caivie, a wild ane frae the barn that wasna fed, for feedin wad hae keepit it frae huntin, and its job was to catch the barn rats. It was starin at the front o the coop.

The wee robin wasna in the caivie, and there was nae wey it could hae gotten oot o it save into the coop, sae I jaloused that the cat had frichtent it, and it had gane into the coop oot o sicht.

I hissed at the cat to frichten it awa, but it juist stared up at me wi its een wide, and didna budge an inch. I liftit my haund to let on I was gaun to throw something at it, and it movd a wee to ae side and spat.

fornent *in front of* jaloused *guessed*

I felt gey frichtent.

I wonert if the cat could lift the caivie lid, for it was a gey cunnin ane. In the simmer whan the Donegals bade in the barn they used to keep the milk for their tea in a can aside the stove, and the cat used to cowp it, and skail the milk, and syne lap it up aff the flair. A cat that could dae that could dae onything.

A thocht cam to me then. Mebbe the robin wasna in the coop at aa. Mebbe the cat had gotten it.

It wasna likely, mind ye, but I juist had that wee dout, and I couldna rest till I had lookit in the coop to see if the robin was there.

I liftit a stane and lat flee at the cat, and it streikit awa ahint the bumper. Syne I liftit the twa wee cleiks and poued the coop back frae the caivie.

I micht hae kent what wad happen. The wee robin fluttert oot o the coop, and whan I tried to grab her to pit her in the caivie again she hauf flew, hauf hoppit, till she was in ahint the bumper wi the cat.

The bumper was leanin against the waa, and it was faur ower heavy for me to move. It had to be heavy, for it was used for brekkin doun the lumps efter plewin, in ony field that was to be plantit oot wi strawberries.

I kent what I wad dae. I wad hammer on the bunker wi a stick, and frichten the cat oot o its wits.

But nae suner had I turnt awa to look for a stick than the cat streikit oot, wi the robin in its mou, and gaed for the barn like a bullet.

I gaed into the barn, but aa its winnocks were shuttert, and save at the door I couldna see. Whaureir the cat was wi the robin, it wasna in the licht.

I graipit my wey to the lether that led up to the milk-hoose bothy, and lookit up there, but there was naething. It was gey daurk up there tae, for the skylicht was smoored wi snaw.

I telt my grandfaither the haill story that nicht at

cowp *tip*
graipit *groped* lether *ladder* smoored *obscured*

bedtime, whan my grannie was thrang in the scullery, washin the supper dishes. He rase aff his chair.

"We'll hae a look in the barn," he said.

He gaed ben to the scullery and lichtit a lantern.

"Whaur are ye gaun?" said my grannie. "It's past Rab's bedtime."

"We're gaun oot to the barn. It's juist a wee maitter atween oorsells."

"Ye speyl that laddie," she said.

My grandfaither took the lantern to a corner o the barn whaur there was a pile o tuim tattie-bags.

"There's what's left o yer robin," he said.

There were juist a wee wheen o feathers, scattert ower ane o the bags.

I stertit to greit.

He pat his haund on my shouther on the wey back to the hoose.

"Never heed, son," he said. "Ye'll ken no to dae it again."

Robert McLellan

In Glenskenno Woods

Under an arch o' bramble
  Saftly she goes,
Dark broon een like velvet,
  Cheeks like the rose.

Ae lang branch o' the bramble
  Dips ere she pass,
Tethers wi' thorns the hair
  O' the little lass.

Ripe black fruit, an' blossom
  White on the spray,
Leaves o' russet an' crimson,
  What wad ye say?

What wad ye say to the bairn
That ye catch her snood,
Haudin' her there i' the hush
O' Glenskenno Wood?

What wad ye say? The autumn
O' life draws near.
Still she waits, an' listens,
But canna hear.

Helen B Cruickshank

The Deluge

The Lord took a staw at mankind,
A righteous an' natural scunner;
They were neither to haud nor to bind,
They were frichtit nae mair wi' his thun'er.

They had broken ilk edic' an' law,
They had pitten his saints to the sword,
They had worshipped fause idols o' stane;
"I will thole it nae mair," saith the Lord.

"I am weary wi' flytin' at folk;
I will dicht them clean oot frae my sicht;
But Noah, douce man, I will spare,
For he ettles, puir chiel, to dae richt."

So he cried unto Noah ae day,
When naebody else was aboot,
Sayin': "Harken, my servant, to Me
An' these, my commands, cairry oot:

"A great, muckle boat ye maun build,
An ark that can float heich an' dry,
Wi' room in't for a' yer ain folk
An' a hantle o' cattle forby.

snood *hair ribbon*
staw *disgust*
scunner *loathing*
ilk *each*
thole *endure*
flytin' *scolding*
dicht *wipe*
ettles *tries*
hantle *few*

"Then tak' ye the fowls o' the air,
Even unto big bubbly-jocks;
An' tak' ye the beasts o' the field:
Whittrocks, an' foumarts, an' brocks.

"Wale ye twa guid anes o' each,
See that nae cratur rebels;
Dinna ye fash aboot fish;
They can look efter theirsels.

"Herd them a' safely aboard,
An' ance the Blue Peter's unfurled,
I'll send doun a forty-day flood
And de'il tak' the rest o' the world."

Sae Noah wrocht hard at the job,
An' searched to the earth's farthest borders,
An' gethered the beasts an' the birds
An' tell't them to staun' by for orders.

An' his sons, Ham an' Japheth an' Shem,
Were thrang a' this time at the wark;
They had fell'd a wheen trees in the wood
An' biggit a great, muckle ark.

This wasna dune juist on the quate,
An' neebours would whiles gether roun';
Then Noah would drap them a hint
Like: "The weather is gaun to break doun."

But the neebours wi' evil were blin'
An' little jaloused what was wrang,
Sayin': "That'll be guid for the neeps,"
Or: "The weather's been drouthy ower lang."

Then Noah wi' a' his ain folk,
An' the beasts an' the birds got aboard;

bubbly-jocks *turkey-cocks*
whittrocks *weasles*
foumarts *polecats*
brocks *badgers*

wale *choose*
fash *bother*
wrocht *worked*
thrang *busy*

biggit *built*
jaloused *guessed*
neeps *turnips*
drouthy *dry*

An' they steekit the door o' the ark,
An' they lippened theirsels to the Lord.

Then doun cam' a lashin' o' rain,
Like the wattest wat day in Lochaber;
The hailstanes like plunkers cam' stot,
An' the fields turned to glaur, an' syne glabber.

An' the burns a' cam' doun in a spate,
An' the rivers ran clean ower the haughs,
An' the brigs were a' soopit awa',
An' what had been dubs becam' lochs.

Then the folk were sair pitten aboot,
An' they cried, as the weather got waur;
"Oh! Lord, we ken fine we ha'e sinn'd
But a joke can be cairried ower faur!"

Then they chapp'd at the ark's muckle door,
To speer gin douce Noah had room;
But Noah ne'er heedit their cries,
He said: "This'll learn ye to soom."

An' the river roar'd loudly an' deep;
An' the miller was droon't in the mill;
An' the watter spread ower a' the land,
An' the shepherd was droon't on the hill.

But Noah, an' a' his ain folk,
Kep' safe frae the fate o' ill men,
Till the ark, when the flood had gi'en ower,
Cam' dunt on the tap o' a ben.

An' the watters row'd back to the seas,
An' the seas settled doun and were calm,
An' Noah replenished the earth—
But they're sayin' he took a guid dram!

W D Cocker

steekit	*shut*	glaur	*mud*	speer	*ask*
lippened	*trusted*	haughs	*riverside flats*	soom	*swim*
plunkers	*marbles*	soopit	*swept*	row'd	*rolled*
stot	*bouncing*	dubs	*puddles*		

The Invitation

(from Low German)

That you're my ain true love,
Weel you can see.
Come in the nicht, come in the nicht,
Whisper: "It's me."

Juist come straicht ben, my lad,
When it stricks twel'.
Father sleeps, mither sleeps;
I'm by mysel'.

Tirl at the chawmer door;
Lift the sneck high.
Father says: "What a wind"
Mither says: "Ay."

Alexander Gray

Supper to God

S'ud ye ha'e to gi'e
His supper to God
What like fare
'Ud ye set on the brod?

Lint-white linen
And siller-ware
And a tassie o' floo'ers
In the centre there?

Pot-luck 'ud be best,
I need ha'e nae fear
Gin God s'ud come
To's supper here.

tirl	*rattle*
sneck	*latch*
brod	*table*

Deal scrubbed like snaw
And blue-and-white delf
And let ilk ane
Rax oot for hisself.

A' that I'd ask
Is no' to ken whan,
Or gin it's Him
Or a trev'lin man.

Wi' powsoudie or drummock,
Lapper-milk kebbuck and farle,
We can aye wecht the wame
O' anither puir carle.

Hugh MacDiarmid

Arctic Convoy

Intil the pit-mirk nicht we northwart sail
Facin the bleffarts and the gurly seas
That ser' out muckle skaith to mortal men.
Whummlin' about like a waukrife feverit bairn
The gude ship snowks the waters o a wave,
Swithers, syne pokes her neb intil the air,
Hings for a wee thing, dinnlin, on the crest,
And clatters in the trouch wi sic a dunt
As gey near rives the platin frae her ribs
And flypes the tripes o unsuspectin man.

Northwart, aye northwart, in the pit-mirk nicht.
A nirlin wind comes blawin frae the ice,
Plays dirdum throu the rails and shrouds and riggin,
Ruggin at bodies clawin at the life-lines.
There's sic a rowth o air that neb and lungs

rax *reach*
powsoudie *sheep's head broth*
drummock *brose*
lapper-milk kebbuck *sour-milk cheese*
farle *oatcake*
bleffarts *storms*
gurly *wild*
skaith *danger*
waukrife *sleepless*
snowks *puts nose into*
dinnlin *vibrating*
flypes *turns inside out*
nirlin *nipping*

Juist canna cope wi sic a dirlin onding.
Caulder the air becomes, and snell the wind.
The waters, splairgin as she dunts her boo,
Blads in a blatter o hailstanes on the brig
And geals on guns and turrets, masts and spars,
Cleedin the iron and steel wi coat o ice.

Northwart, aye northwart, in the pit-mirk nicht.
The nirlin wind has gane, a lownness comes;
The lang slaw swall still minds us o the gale.
Restin aff-watch, a-sweein in our hammocks,
We watch our sleepin messmates' fozy braith
Transmogrify to ice upon the skin
That growes aye thicker on the ship-side plates.
Nae mair we hear the lipper o the water,
Only the dunsh o ice-floes scruntin by,
Floes that in the noon-day gloamin licht
Are lily-leafs upon a lochan dubh.
But nae bricht lily-flouer delytes the ee,
Nae divin bird diverts amang the leafs,
Nae sea-bird to convoy us on our gait.
In ilka deid-lown airt smools Davy Jones,
Ice-tangle marline spikes o fingers gleg
To claught the bodies o unwary sailors
And hike them doun to stap intil his kist.
Whiles "Arctic reek" taks on the orra shapes
O ghaistly ships-o-war athort our gait,
Garrin us rin ram-stam to action stations
Syne see them melt awa intil the air.

Owre lang this trauchle lasts throu seas o daith
Wi neer a sign o welcome at the port,
Nae "Libertymen fall in" to cheer our herts
But sullen sentries at the jetty-heid
And leesome lanesome waitin at our birth.

dirlin onding *assault*
lownness *calmness*
lipper *sound of water lapping*
dunsh *crunch*
scruntin *scraping*
claught *grab*
trauchle *weary struggle*

At length we turn about and sail for hame,
Back throu rouch seas, throu ice and snaw and sleet,
Hirdin the draigelt remnants o our flock
Bieldin them weel frae skaith o enemie.
But southwart noo we airt intil the licht
Leavin the perils o the Arctic nicht.

J K Annand

The Young Man and the Young Nun

"My milk-white doo," said the young man
   To the nun at the convent yett,
"Ahint your maiden snood I scan
   Your hair is like the jet.
Black, black are the een ye hae
Like boontree berries or the slae,
Wi hints o Hevin and glints as weill
O' the warld, the flesh and the muckle Deil.
Come flee wi me!" said the young man
   To the nun at the convent yett.

"I've gien my vow," said the young nun
   To the man at the convent yett.
"My race outby in the warld is run:
   Earth's cauld and Hell is het.
Although my maiden snood I hain,
I hae a Guidman o my ain,
I hae a Guidman far mair real,
I hae a Guidman far mair leal
Nor ye can be," said the young nun
   To the man at the convent yett.

"That's aiblins true," said the young man
   To the nun at the convent yett,
"But ye're owre young your life to ban
   To be the Godheid's pet.

doo *dove* · yett *gate* · een *eyes* · boontree *elder* · slae *sloe* · hain *preserve* · leal *true* · aiblins *perhaps*

The veil is for the auld and cauld,
Your youth is for the young and yauld;
Come while the sheen is in your hair,
Come while your cheek is round and fair,
Come and be free!" said the young man
  To the nun at the convent yett.

"That step I'd rue," said the young nun
  To the man at the convent yett.
"My threid o bewtie's jimplie spun
  And men gey sune forget.
Whan lyart cranreuch streaks my locks
And my cheeks hing syde as a bubbliejock's,
Whas bluid will steer, whas hert will stound,
Whas luve will stanch auld age's wound?
Nane bleeds but He," said the young nun
  To the man at the convent yett.

"Ye gar me grue," said the young man
  To the nun at the convent yett.
"The gait ye gang is no Life's plan,
  And to Life ye're awn a debt.
The morn, the laverock shaks the air
And green comes back to the girss and gair;
Your spell wi the Ghaist's owre sune begood,
It's wi ane like me ye suld tyne your snood—
I speak Life's plea," said the young man
  To the nun at the convent yett.

"Your een are blue," said the young nun
  To the man at the convent yett,
"But the luvan een o Mary's Son
  Are starns that will never set.
Whan your gowden powe's like the mune's wan heid,
Whan your cheeks are blae and your een are reid,

yauld	*active*	steer	*stir*	girss	*grass*
jimplie	*sparely*	stound	*throb*	gair	*green patch*
lyart	*grey*	gar	*make*	begood	*begun*
cranreuch	*frost*	grue	*shudder*	tyne	*lose*
syde	*low*	gait	*road*	powe	*head*
bubbliejock	*turkey-cock*	laverock	*skylark*	blae	*livid*

My Luve will be young as the bricht new gem
That bleezed in the heck at Bethlehem—
He canna dee," said the young nun
  To the man at the convent yett.

"Brent is your brou", said the young man
  To the nun at the convent yett,
"And for nae callant o earthly clan
  Your leesome lane ye'll fret.
For me, there are monie still in bloom:
Owre ye, I needna fash my thoom.
Flyting and fleetching baith hae failed,
And sae fareweill—it's yoursel that's waled
The weird ye'll dree," said the young man
  To the nun at the convent yett.

"I thank ye nou," said the young nun
  To the man at the convent yett,
"And though your wauf, wild warld I shun,
  Your warmth I'll no regret.
A barren boon for Christ 'twad be
Gif naebodie socht His bride but He,
But the weird ye wale is waur nor mine,
And doubtless ye'll seek to change it syne—
I'll pray for ye," said the young nun
  As she steekit the convent yett.

A D Mackie

Wet Day

As we gaed oot frae Bos'ells
  To clim the Bowden brae.
A smir o' rain was fa-in.
  That buid to spoil the day;

heck	*cattle fodder rack*				
brent	*smooth*	flyting	*scolding*	dree	*endure*
callant	*youth*	fleetching	*flattery*	wauf	*worthless*
leesome lane	*solitude*	waled	*chosen*	syne	*in time*
fash my thoom	*bother my thumb*	weird	*fate*	buid	*was likely*

And or we passed the Whit'rigg road
A mirky hap came doun:
It smoored the muckle Eildons
And blanketed Newtoun.

The weet seeped throwe oor bonnets
And lashed oor smertin' cheeks,
It drenched oor flappin' jaickets
And draigled sair oor breeks.
But ower the brae sae cheery
A chiel came whusslin free,
And sallied in the byegaun,
"Aye, soft a bit," says he.

My feet were fairly chorkin'
Inside my platchin' shoon,
But, droukit to the verra sark,
I couldna raise a froun.
I watched the clackin' hob-nails,
Taes pointin' to the sky,
And yelled against the wild wund,
"Aye, soft a bit," says I.

William Landles

Bigamist

Poetry's my second wife.
For oors
I sit wi her ben the room.
I hiv to listen;
she's got a good Scots tongue in my heid.

Oor merraige is a lang scuttery tyauve
on white sheets. Sometimes
she winna come ava. I'm fair deaved
wi the soonless claik o her.

mirky	*dark*	chorkin'	*squelching*	tyauve	*struggle*
hap	*blanket*	sark	*shirt*	deaved	*deafened*
smoored	*blotted out*	scuttery	*untidy*	claik	*chatter*

"Listen to this" she'll sough for the umpteenth time.
The neist minute (or day) it's "Na;
na, I didna mean that ye see.
Whit I mint was . . . . ."
God damnt, wumman,
my heid's bizzin.
I canna come speed wi my wark.

And you?
Ye'll sit knittin mebbe,
finger nebs like fechtin spiders,
you and your sprauchle o twa quines,
glowerin at the TV.
My exilt faimly i the livin room.

And me?
I'm cairryin on wi anither quine;
a limmer, a jaud, a
bletherin bitch.
When your heid keeks roon the door
and ye say, "Suppertime"
ye gie a bit sklent at the sheets
whaur she's lyin, and I see on your mou
a bit smile, jist that bit look
that says: MY shot noo.

Alastair Mackie

Owre Weill

I'm early up, this Friday morn,
and feelin maist byordnar gay;
ma heid's as caller as a herrin,
I'm faur owre weill to wark the day.

Something's gane wrang: my heid's no sair.
I'll see the doctor, and he'll say,
He's no been taen this wey afore;
the man's owre weill to wark the day.

sough	*sigh*	quines	*girls*	sklent	*glance*
nebs	*tips*	exilt	*exiled*	byordnar	*exceptionally*
sprauchle	*brood*	limmer	*wanton*	caller	*clear*

Sen Monday, I've duin fowre days hard;
I shuid be donnert, but I'm nae.
I tell masel, Be on your guaird,
ye're faur owre weill to wark the day.

Robert Garioch

The Flood-Bush

Yin nicht auld Gibby sauntert intae the Back Bar, and stairtit intae the dominoes. Aifter twae-three pints, his intrist wannert awey, sae he sut back and howkt oot his pipe and lit up. Fowk kent he wis in a blethrin fettle, and insistit that he favour them wi yin o his tales. "A'richt" he said, "I'll tell ye a tale, and a gey queer yin at that." Sae some chiel bocht in anither roond, and they a' settle't back tae lissen.

Aboot twae-score o year ago, I wis grievin tae Sir Uchtred on yin o his sma'-haudins by the Solway Shore. The Mains o Bengairn, it was ca'ed, and a crackin snod wee spot it wis, lyin up in the fithills ahint Palnackie. It fair snuggelt intae the heid o yon lang glen that rins up atween Bengairn Hill and the Screel. Oo'd fower tae five hunner heid o yowes oot grazin yon braesides, and a fair wheen o big black Gallawa stirks in the pairks abin the steadin. No a bad wee fairm at a'.

Onyroad, yin aifternin I sees this wee black car stotterin up the glen, and it wisnae ony-yin's I kent. It comes claittrin richt up tae the gairden-yett, and a wee peely-wally worm o a man peeks oot. "Scuse me, sir," he says, "but I'm huntin fir a Mister Gilbert McKeand."

"Weel son," says I, "ye maun look nae further, fir ye're speakin tae the self-same body."

Noo, he fidgets and footers aboot fir a while, and then fetches yin o yon Ornance Survey maps oot fae his pooch. "See this wee plantin?" he spiers, jabbin at the map wi a

donnert *dazed*
fettle *mood*
snod *trim*
stirks *bullocks*
yett *gate*
peely-wally *sickly*

weel-chowt finger, "I'd fair like permeesion tae tak a wee bit keek at it."

Weel, I digs oot ma specs and haes a geid lang ganner, and damn me gin he's no pointin at ocht but a wee scrubby clump o blackthorn and gorse that caps a neb o the Screel Hill. "Fair enough," says I, "but ye'll nivver git yer car up yonner. Ye'll hae tae tramp it."

"Nae problem," says he, "Fir I've brocht ma bits," and he lowps oot the car and swaps his shin and plods aff up the brae, and faith, it wis five tae six ooers afore he ever cam back doon.

Masel, I nivver thocht mair aboot it, till I wis sittin intae ma denner, and the wife ups and wants tae ken whase car it hid bin. "Some gyte-like crater," I tells her, "that wantit tae watch some auld trees."

"Whit on irth fir?" she spiers.

"Dinnae ask me!" I cries, "Fir I'm damnt if I ken, but I reckon he's a sicht saft aboot the heid." Aifter a', whae in his richt senses wid be tacklin a five-mile hike jeest tae peer at an auld ill-riggit plantin that's no even ony yeese fir kinnlin? Fir that's a' it wis—a stragglin bit wilderness o thorn and tangel, clingin tae a bare wind-sweepit hillside. I'm no even shair whit it wis daein there, fir naebody ever bothert tae tend nor fell it.

Mind ye, it wis a rarely bonnie wee spot, and ma hirsel went richt bye the back o it. Maist days I'd drap aff yonner fir ma piece. There wis an auld broken-doon dry-stane dyke whaur I'd coorie in tae dodge yon bitin winter winds that howlt sae snell ower thae hill-faces. But in springtime it wis fair a bleeze o colour, whit wi the white o the thorn-blossom, and the bricht gowden yoitlich o the whins. And when yer autumn fruits were oot, ba crivvens, it wid be fair hoachin wi shilfies and siskins and the like, fir it wis ayeways laden doon wi hips and haws, and brummles and berries. I yeest tae sit there flingin jaaps o breid tae the

chowt *chewed*
neb *tip*
shin *shoes*
gyte-like *crazy*
hirsel *territory of one shepherd*
coorie *snuggle*
snell *cold*
yoitlich *yellow*
hoachin *teeming*
shilfies *chaffinches*
jaaps *bits*

speugs, while ma dugs snuggelt in aside me, their heids on their paws, and yin ee ayeways open and watchin the wee burdies. And whiles in late summer I'd lie back and doze in the sunlicht, lissnin tae the poppin o the ripe whin-pods, and watchin the willae-herb waftin bye. Aye, it wis ayeways fine and peacefou up yonner, and it wis aye a damnable effort tae rise up and gan trampin roond anither fower-ooers-worth o windrusselt hill-country.

It wis aye a favourite spot o mine, and mainly on accoont o the view. Fir ye could see richt oot across the Rough Firth tae the licht-hoose o Satterness. And ye could watch oot ower the sands o the Solway tae the wee pit-toons o Cummerlan, and ayont them tae the bens o the Lake Dis'rict itsel! Sometimes at the lambin I've bin up yonner at nicht, and ye could see a' the lichts o Maryport glintin and glimmerin oot ontae the watter. Mony's the time I've sut up yonner and watcht the collier-boats come churnin across fae Worki'ton or Maryport. They'd rin richt in wi the tide, and beach theirsels up ontae the sands o Rascarrel Bay. Then, when the tide wis lappit oot, they'd be left high and dry, and the big Clydesdales wid drag the fairmcairts doon tae be loadit wi coal. And syne a' th'empty boats wid lie like strandit whales till the nixt tide cam and floatit them aff. And then they'd awey hame tae Inglan.

Onyroad, I pit the haill bisniss o the plantin fae ma mind, and got on wi the darg o the fairm. But yin Saitterday, aboot a month later, there comes this chappin at the door. The wife gans tae see whae's there, and comes traipsin back wi this same wee mannie. "Mister McKeand!" he spiels, "I've a maist important and imperative request tae pit tae ye." That wis his verra words! "Important and imperative."

"Oh aye?" says I, showin him tae a sate, "Fire awey!"

"I'm cry't McMinn." he stairts, "Wattie McMinn. I'm whit ye micht ca' the . . . eh . . . the gairdian o yon auld Abbey o Dundrennan."

Noo, there wis somethin unco sneakit aboot the road he

darg *work* unco *very*

said that, and it jeest didnae seem richt tae me. Aifter a', wee Sanny Kirpaitrick's bin caretaker doon yonner fir near on echteen year, and I tellt him as much.

"I'm weel aware o that." he replies, "But ye'll appreciate that Mister Kirpaitrick's only appointit fae the Coonty Cooncil!"

"Oh aye?" says I, and spiers as tae which authority hid appointit his geidsel.

"God." says he, plain and simple as ye like.

Weel noo, that yin fair stymiet me, till I didnae ken whether tae lauch or greet or whit, but the wife, bein a diplomatic kind o sowl, buts in and offers him a mug o tea. Sae he sets himsel doon intae the table and slurps at some tea, and cairries on.

"I'm here tae see aboot yon wee plantin on the Screel knowe. I wis jeest wunnerin if ony human body haes plans fir it?"

"Human?" says I. "Plans?"

"Aye." says he. "Are there ony plans tae clear it or cut it or ocht like that?"

"Naw." says I, "Leastweys, no as far as I ken."

"Weel then," he says, "dae ye think ony-yin wid object gin I cleart oot some room and plantit anither wee tree up yonner?"

"Eh?" I gaspt, fir I could hairdly credit ma lugs. "Whit wid ye want tae plant a tree up yonner fir?" And I wis that flabbergastit I slittert ma tea a' doon the face o ma weskit.

Onyroad, he gies me a great crookit ballop o a grin, and this is whit he says. "It's a maist unique wee tree," he tells me. "An unco special tree, that grew tae its maturity in the Holy City—in Jerusalem! It grew aside the road tae Calvary! And it was liftit ba the roots and brocht ower here, mair than five hunner year ago. It wis fetcht back alang wi the banes o Brither Malise, the famous crusadin friar o Dundrennan, and dibble't intae the cloister gairden. And there it's flourisht ever syne!"

"It maun be gey blinkin auld, then." I cracks, but he

dibble't *planted*

nivver paid muckle heed.

"As I said, it's an awfie unique wee tree. Fir it's aulder than that even! This verra tree stood at the side o the road tae Calvary, and gied shelter tae oor Lord in his time o tribulation. And syne God gied it his blessin, sae noo it's a Holy Tree, that brings peace and prosperity tae sic as leeve in its shade!"

"Faith man!" says I, fir I couldnae resist it, "The'll no be mony leevin in its shade up yonner on tap o Screel Hill!"

He didnae half glower at that yin, but nivver said ocht till the missis pipes up and wants tae ken why he's decidit tae move his precious tree awey fae Dundrennan.

"The flood!" says he, as if evry-yin ought tae ken.

"Whit flood?" says she.

"Whit flood?" he stutters. "THE flood! The big flood!" And wi that he launches intae a great lang spiel. "Dae ye no ken yer Scripter? Hiv ye nivver heard o the flood? Like wi Noah? The flood o holy richteousness? Faith man, there's sic unholiness and godlessness in this land o Gallawa that God's no gan tae thole it muckle mair. The day's comin, ye ken, and comin fast, when God maun strike tae wipe oot the graispers and vipers and lechers. And a' yer hypocrites! He'll wipe them fae the face o His irth! And that's when oo'll see the flood! A flood that'll come bilin up fae the sea tae crash alang the shores o the Solway! A flood that'll roar and foam up ower the sands o Barnhourie and intae evry bay and firth o the Stewartry! And the watters—the watters o cleanliness—they'll ding doon the yetts o Sodom, and swill a' their ugliness awey! A' yer Dalbeatties; a' yer Castle-Dooglases; a' yer Kirkcudbrights and Kipfords; even yer Dundrennans—they'll a' be washt awey like the worm-casts fae the sands o Shankland Bay! And their populations o sinners—they'll be draggit doon and droont tae daith, evry singel yin! But the Faithfou! Ahhh, yer faithfou are gan tae be safe! Fir God'll no abandon us; He'll no stand bye and lit the Godly be devowert! God'll warn us, and oo'll climb up intae the

thole *bear* ding *strike*

hills. Aye, oo'll climb up intae the safety o the same hills as sheltert oor fore-faithers when honest men suffert and dee'd fir their Glorious Covenant, and oo'll look doon like angels intae the valleys o dairkness, and sing the praises o the Lord, while the sinners droon in the cesspools and middens o their ain depravity! I tae the hills will lift mine eyes!"

Noo, I wis deid embarrast, fir he wis fair foamin at the mooth, and his een were poppin richt oot o his heid, jeest like a rabbit wi the mixie. I couldnae think o ocht tae say, cept tae tell him tae gan and plant his stupit tree, and tae mind and gie us the nod when his flood wis due, fir I widnae o likit tae be doon the shore at the time.

Onyroad, tae cut a lang story short, he comes back the nixt week and plants his tree. He even draps ben the hoose, and tells us he sincerely hopes oo'll be save't when the day comes, and that it's a terrible shame that a' thae braw ruins at Dundrennan are tae be swept awey. Sae the verra nixt day I trots up tae hae a bit keek at his tree, and damn me gin it's no a tree at a', but jeest an auld stuntit bush. Mind ye, ye should o seen its leaves; richt weird things they were. And it succeedit in hingin on fir a pair o year, wi Wattie McMinn steggin up tae prey ower it ilka week-end. But there cam a week when he failt tae pit in an appearance, and I've nivver seen a trace o the man syne. In fact, a year or twae later I gaithert he'd bin committit tae the Crichton. I yeese't tae fash ower that, fir whae wis tae tell me the date o yon flood wi Wattie in the cracker-barrell?

But that's no the point. Ye see, the queerest thing wis that naebody ever kent whit make o tree it wis. Ma cousin Bert wis up yince, and he's workit the wids a' his days, but he'd nivver seen ocht like it. And neether hid big Rab Carson, that wis heid forester o Darngarroch fir twal year past. Oo even draggit up yon wee skeelmaister fae Dalbeattie, and he huntit through a' sorts o books, but oo nivver fangelt tae pit a name tae it.

Still, the strangest thing o a' cam wi the spring o forty-

steggin *stamping* fash *worry*

seeven. Ye'll mind fine the winter oo hid yon year. Fir the haill o Mairch the countryside wis fair smothert in snaw—tons and tons o it, till it lay five fit deep, and fifteen whaur it driftit. Oo couldnae budge oot o the Mains fir a fortnicht or mair, and even then oo hid tae skeeter alang the taps o the hedge-rows. And when it meltit, ba God, there wis hell tae pey! The haill area wis sodden through. The burns were huge, loupin and roarin doon fae the hills, and cairtin aff great loads o soil and lambs and geese. Fowk claimt the Nith wis fair chokit wi trees and hen-hooses and deid coos, and the Cree the same-like. Tatties couldnae be plantit, while tumshies and a' manner o crops were flattent and rottit intae the groond, and even the hill-pairks were sae damp and mairshy that the yowes went doon wi the fit-rot. In fact, the haill length o Gallawa wis turnt intae yin great muckle guddle o glaur.

Weel, aifter the thaw wis bye, and the place stairtit tae dry oot, an amazin thing haippent. I wis laid up in bed wi the Deil's ain dose o the flu, when yin o the Barcloy hirds drappt bye tae say that McMinn's bush wis in blossom. And whit an unco blossom it turnt oot tae be! I went hirplin up the Screel masel, and I've nivver seen a flooer tae match it. A great shimmerin clump o blue stars, shapet like somethin atween a rhodie and an azalea, but whit a sheen it had. I've nivver yet seen a shade tae match it. A maist amazin blue, it wis, like yon blue on a kingfisher's airse. And fir a' the nixt fortnicht oo hid queues o fowk trauchlin up through the holmes tae git a geid look at it. Oo'd a' types o experts up yonner, but nane o them hid a clue. No even yon Rattray chiel fae the fancy gairdens at Threave. Christ man, oo even hid some bricht botanical fellae doon fae the Varsity at Glesgie! But nane o them could as much as pit a name tae it, sae I've aye reckont it maun o bin furrin richt enough. And I've aye felt it a damnable unchancie shame that daft Wattie nivver manaige't up tae see it, fir wi-in the

loupin	*leaping*	guddle	*mess*	unco	*unusual*
tumshies	*turnips*	glaur	*mud*	trauchlin	*toiling*
yowes	*ewes*	hirds	*shepherds*	unchancie	*unlucky*

month the floors hid withert, and come the turn o the year the haill tree wis as deid as a dry-stane dyke. But ye've got tae admit it, fir a' that McMinn wis dootless glakit, he wis richt aboot yin thing—yon wis a bluddy unique wee tree.

Bill Copland

Good Night, and Joy be wi' You A'

The year is wearing to the wane,
An' day is fading west awa';
Loud raves the torrent an' the rain,
And dark the cloud comes down the shaw;
But let the tempest tout an' blaw
Upon his loudest winter horn,
Good night, an' joy be wi' you a';
We'll maybe meet again the morn!

Oh, we hae wandered far an wide
O'er Scotia's hills, o'er firth an' fell,
An' mony a simple flower we've cull'd,
An' trimm'd them wi' the heather bell!
We've ranged the dingle an' the dell,
The hamlet an' the baron's ha';
Now let us take a kind farewell,—
Good night, an' joy be wi' you a'!

Though I was wayward, you were kind,
And sorrow'd when I went astray;
For oh, my strains were often wild
As winds upon a winter day.
If e'er I led you from the way,
Forgie your Minstrel aince for a';
A tear fa's wi' his parting lay,—
Good night, and joy be wi' you a'!

James Hogg

glakit *foolish* shaw *wood*